Le bonheur, désespérément

Traité du désespoir et de la béatitude
(t. 1, *Le Mythe d'Icare*; t. 2, *Vivre*), PUF, 1984 et 1988

Une éducation philosophique, PUF, 1989

Pourquoi ne sommes-nous pas nietzschéens
(en collaboration), Grasset, 1991

« Je ne suis pas philosophe » (Montaigne et la philosophie),
Éditions Honoré Champion, 1993

Valeur et Vérité (Études cyniques), PUF, 1994

Petit traité des grandes vertus, PUF, 1995

Arsène Lupin, gentilhomme philosopheur
(avec François George),
L'Aiguille Preuve, 1995, rééd. Le Félin, 1996

Impromptus , PUF, 1996

De l'autre côté du désespoir (introduction à la pensée
de Svâmi Prajnânpad), Éditions J.-L. Accarias-L'Originel, 1997

La Sagesse des Modernes (avec Luc Ferry), Robert Laffont, 1998

L'Être-Temps , PUF, 1999

Le Gai Désespoir, Alice Éditions (Liège), 1999

Chardin ou la matière heureuse, Éditions Adam Biro, 1999

L'Amour la solitude, Albin Michel, 2000

Camus, de l'absurde à l'amour (en collaboration),
La Renaissance du livre (coll. Paroles d'Aube), 2000

Présentations de la philosophie, Albin Michel, 2000

Lucrèce, poète et philosophe, Grasset, La Renaissance du livre
(coll. Paroles d'Aube), 2001

Dictionnaire philosophique, PUF, 2001

André Comte-Sponville

Le bonheur, désespérément

Librio

Texte intégral

Le texte qui suit est la transcription, revue et corrigée par l'auteur, de la conférence-débat prononcée par André Comte-Sponville le 18 octobre 1999, dans le cadre des Lundis Philo *au Piano'cktail, à Bouguenais (Loire-Atlantique).*

Le bonheur, désespérément

Je parlerai donc du bonheur... J'avoue, devant un tel sujet, être partagé entre deux sentiments opposés. D'abord le sentiment de l'évidence, voire de la banalité : parce que le bonheur, presque par définition, intéresse tout le monde (souvenez-vous de Pascal : « Tous les hommes recherchent d'être heureux ; cela est sans exception... C'est le motif de toutes les actions de tous les hommes, jusqu'à ceux qui vont se pendre[1]... »), et devrait intéresser d'autant plus le philosophe. Traditionnellement, historiquement, depuis que les Grecs ont inventé le mot et la chose *philosophia*, chacun sait que le bonheur fait partie des objets privilégiés de la réflexion philosophique, qu'il est même l'un des plus importants et des plus constants. Voyez Socrate ou Platon, Aristote ou Épicure, Spinoza ou Kant, Diderot ou Alain... « N'est-il pas vrai que, nous autres hommes, nous désirons tous être heureux[2] ? » La réponse est tellement évidente, remarque Platon, que la question mérite à peine d'être posée. « Qui, en effet, ne désire être heureux[3] ? » La quête du bonheur est la chose du monde la mieux partagée.

---

1. *Pensées*, fr. 148-425 (le premier chiffre est celui de l'éd. Lafuma, Seuil, 1963, le second celui de l'éd. Brunschvicg, Hachette, 1897).
2. Platon, *Euthydème*, 278 *e*.
3. *Ibid*.

Pourtant, en même temps que ce sentiment d'évidence ou de banalité, j'ai le sentiment aussi d'une certaine singularité, d'une certaine solitude, pour ne pas dire d'une certaine audace : ce sujet qui appartient depuis si longtemps à la tradition philosophique, la plupart des philosophes contemporains – disons ceux qui ont dominé la deuxième moitié du XXe siècle – l'avaient à peu près complètement laissé tomber, comme si tout d'un coup le bonheur avait cessé d'être un problème philosophique. C'est ce qui a surpris mes collègues, lorsque j'ai publié mon premier livre, le *Traité du désespoir et de la béatitude* [1]... Il leur semblait que je renouais avec de vieilles notions – celle du bonheur, celle de la sagesse... – qui leur paraissaient obsolètes, archaïques, dépassées, que je philosophais, c'est ce que m'avait dit alors mon ancien professeur de khâgne, comme on ne le faisait plus « depuis des siècles », il avait ajouté, je n'ai jamais su si c'était un éloge ou une critique, « comme on n'ose plus le faire... » Bref, j'avais quelques siècles de retard, et l'on ne se fit pas faute de me le faire remarquer... Ce seront souvent les mêmes, quelques années plus tard, qui me reprocheront de *surfer* sur la mode (quelle mode ? celle de la sagesse, de la philosophie ancienne, ou à l'ancienne, de l'éthique, du bonheur...). Je n'ai guère changé pourtant, ni eux. C'est le public qui a bougé, et tant mieux si j'y suis pour quelque chose. Mon premier livre est paru en janvier 1984 : il semblait alors que j'avais, en effet, plusieurs siècles de retard... Puis le succès est venu, peu à peu, et je compris que je n'avais eu qu'une dizaine d'années d'avance. Je ne m'en vante pas. Qu'est-ce que dix ans, pour la philosophie ? Mais je n'ai pas non plus à en avoir honte. La vérité, c'est que le passé de la philosophie est toujours devant nous, que nous n'en aurons jamais fini de l'explorer, de le comprendre, d'essayer

_____
1. Tome I, *Le Mythe d'Icare*, PUF, 1984 ; tome II, *Vivre*, PUF, 1988.

de le prolonger... Et que c'est parce que je n'ai pas craint de sembler dépassé ou en retard qu'il m'est peut-être arrivé, parfois, d'être un peu en avance...

Toujours est-il que mon point de départ, en philosophie, fut de renouer avec cette vieille question grecque et philosophique, la question du bonheur, de la vie bonne, de la sagesse. Non par goût de naviguer à contre-courant, mais parce que j'avais envie de faire de la philosophie comme le faisaient les maîtres que j'aimais et admirais, même s'ils étaient morts, pour certains d'entre eux, depuis plusieurs siècles : les Grecs d'abord, bien sûr, mais tout aussi bien Montaigne ou Descartes, Spinoza ou Alain... Sur cette voie, d'ailleurs, il y avait au moins un contemporain qui m'avait précédé : c'était Marcel Conche. Puis un autre, sans la suivre lui-même, qui m'encourageait à l'explorer : c'était Louis Althusser. J'ai suivi leur exemple ou leurs conseils. Je suis remonté très en amont, dans l'histoire de la philosophie, pour essayer d'avancer quelque peu. Je n'avais pas le choix : je n'aurais pu philosopher autrement.

Bref, j'ai voulu renouer, non pas seulement avec l'étymologie, qui n'est qu'un petit aspect de la question, mais avec cette tradition philosophante qui veut que la *philosophia*, comme disaient les Grecs, ce soit, étymologiquement et conceptuellement, l'amour de la sagesse, la quête de la sagesse, laquelle sagesse se reconnaît en effet, pour qui l'atteint et selon la quasi-totalité des auteurs, à une certaine qualité de bonheur. Si la philosophie ne nous aide pas à être heureux, ou à être moins malheureux, à quoi bon la philosophie ?

Le philosophe qui m'a le plus marqué, durant toutes mes années d'études, plus encore que Spinoza, plus encore que Marx ou Althusser, ce fut sans doute Épicure, découvert en khâgne et à qui je consacrerai mon mémoire de maîtrise. J'ai fait mienne, très tôt, la belle définition qu'il donnait de la philosophie. Souvenez-vous de votre premier cours de philosophie, pour ceux d'entre vous qui sont allés jusqu'en terminale... Il y a une question que posent presque inévitablement les professeurs de philosophie, au lycée (je l'ai été moi-même pendant plusieurs années), lors du premier cours de l'année, au début du mois de septembre. Il faut expliquer, à des adolescents qui n'en ont jamais fait, ce que c'est que la philosophie, autrement dit ce qu'on va faire, à raison de huit, cinq ou trois heures par semaine, selon les sections, pendant une année entière, ce que c'est que cette nouvelle discipline – nouvelle pour eux ! – qui s'appelle depuis si longtemps la philosophie... On m'a rapporté qu'un de mes collègues, pendant ce premier cours de l'année, à la question « *Qu'est-ce que la philosophie ?* », répondait : « La philosophie, c'est vraiment une chose extraordinaire. Cela fait vingt ans que je l'enseigne, et je ne sais toujours pas ce que c'est ! » Si c'était vrai, je trouverais cela plutôt inquiétant qu'extraordinaire. Que peut valoir une discipline intellectuelle qui ne serait même pas capable de se définir ? Mais je n'en crois rien. La vérité, c'est qu'on peut tout à fait répondre à la question « *Qu'est-ce que la philosophie ?* », et même de plusieurs façons différentes – cette pluralité-là étant déjà elle-même philosophique. Pour ma part, disais-je à l'instant, j'ai fait mienne la réponse qu'Épicure donnait à cette question. Elle prend comme il se doit la forme d'une définition : « *La philosophie est une activité qui, par des discours et des raisonnements, nous procure la vie heureuse* [1]. » J'aime tout dans cette définition. J'aime d'abord que la philosophie soit une « activité », *energeia*, et pas seulement un système, une spéculation ou une contemplation. J'aime qu'elle se fasse par « des discours et des raisonnements », et non par des visions, des bons sentiments ou des extases. J'aime enfin qu'elle nous procure « la vie heureuse », et

---

1. Fragment 219 de l'éd. Usener, transmis par Sextus Empiricus (*Adv. Math.*, XI, 169), trad. M. Conche, Épicure, *Lettres et maximes*, PUF, 1987, p. 41.

pas seulement le savoir ni, encore moins, le pouvoir... Ou du moins qu'elle *tende* à nous procurer la vie heureuse. Parce que si j'avais une réserve à faire, et j'en ai une, vis-à-vis de cette belle définition d'Épicure, c'est que je ne suis pas convaincu que nous ayons, nous, les Modernes, les moyens d'assumer le bel optimisme grec, ou la belle confiance grecque. Là où Épicure écrivait que « la philosophie est une activité qui, par des discours et des raisonnements, nous *procure* la vie heureuse », je dirais plutôt, plus modestement, « qui *tend* à nous procurer la vie heureuse ». À cette réserve près, cette définition, qui date de vingt-trois siècles et qui m'éclaire depuis bientôt trente ans, me convient toujours. Qu'est-ce que la philosophie ? Pour le dire dans des mots qui soient les miens (mais vous verrez que ma définition est décalquée de celle d'Épicure), je répondrai : *la philosophie est une pratique discursive* (elle procède « par des discours et des raisonnements »), *qui a la vie pour objet, la raison pour moyen, et le bonheur pour but*. Il s'agit de penser mieux, pour vivre mieux.

Le bonheur est le but de la philosophie. Ou, plus exactement, le but de la philosophie est la sagesse, *donc* le bonheur – puisque, encore une fois, l'une des idées les mieux avérées dans toute la tradition philosophique, et spécialement dans la tradition grecque, c'est que la sagesse se reconnaît au bonheur, ou du moins à un certain type de bonheur. Parce que si le sage est heureux, ce n'est pas n'importe comment ni à n'importe quel prix. Si la sagesse est un bonheur, ce n'est pas n'importe quel bonheur ! Ce n'est pas, par exemple, un bonheur qui serait obtenu à coup de drogues, d'illusions ou de divertissements. Imaginez que nos médecins nous inventent, dans les années qui viennent – certains me disent que c'est déjà fait, mais, rassurez-vous, il y a encore des progrès à attendre –, un nouveau médicament, une espèce d'anxiolytique et d'antidépresseur absolu, qui serait en même temps un tonique et un euphorisant : *la pilule du bonheur*. Une petite pilule bleue, rose ou verte, qu'il suffirait de prendre chaque matin pour se trouver en permanence (sans aucun effet secondaire, sans accoutumance, sans dépendance) dans un état de complet bien-être, de complet bonheur... Je ne dis pas que nous refuserions d'y goûter, ni même parfois, quand la vie est vraiment trop difficile, d'en faire un usage un peu régulier... Mais je dis que nous refuserions de nous en satisfaire, presque tous, et qu'en tout cas nous refuserions d'appeler *sagesse* ce bonheur que nous devrions à un médicament. Et même chose, bien sûr, d'un bonheur qui ne viendrait que d'un système efficace d'illusions, de mensonges ou d'oublis. Parce que le bonheur que nous voulons, le bonheur que les Grecs appelaient sagesse, celui qui est le but de la philosophie, c'est un bonheur qui n'est pas obtenu à coups de drogues, de mensonges, d'illusions, de *divertissement*, au sens pascalien du terme ; c'est un bonheur qui s'obtiendrait dans un certain rapport à la vérité : un vrai bonheur, ou un bonheur vrai.

Qu'est-ce que la sagesse ? C'est le bonheur dans la vérité, ou « la joie qui naît de la vérité ». Cette dernière expression est celle qu'utilise saint Augustin[1], pour définir la béatitude, la vie vraiment heureuse, par opposition à nos petits bonheurs, toujours plus ou moins factices ou illusoires. Et je suis sensible au fait que c'est ce même mot de *béatitude* que Spinoza reprendra, bien plus tard, pour désigner le bonheur du sage, celui qui n'est pas la récompense de la vertu mais la vertu elle-même... La béatitude, c'est le bonheur du sage, par opposition aux bonheurs que nous connaissons ordinai-

---

1. *Confessions*, X, 23. Sur « l'eudémonisme foncier » de saint Augustin, voir E. Gilson, *Introduction à l'étude de saint Augustin*, Vrin, 1982, pp. 1 à 10 et 149 à 163. Mais cet eudémonisme ne fait en vérité que prolonger l'eudémonisme grec : « Un Grec, quelle que soit la conception qu'il se fait de l'essence de la moralité, ne voit pas d'autre fin dernière pour l'activité que l'obtention et la conservation du bonheur » (Léon Robin, *La Morale antique*, PUF, 1963, p. 72).

rement, nous qui ne sommes pas des sages, disons à nos semblants de bonheur, qui sont parfois nourris de drogues ou d'alcools, souvent d'illusions, de divertissement ou de mauvaise foi. Petits mensonges, petits dérivatifs, petites médications, petits remontants... Ne soyons pas trop sévères. On ne peut s'en passer toujours. Mais la sagesse, c'est autre chose. La sagesse, ce serait le bonheur dans la vérité.

La sagesse ? C'est un bonheur vrai, ou une vérité heureuse. Mais n'en faisons pas un absolu. On peut être *plus ou moins* sage, comme on peut être plus ou moins fou. Disons que la sagesse indique une direction : celle du maximum de bonheur dans le maximum de lucidité.

Donc le bonheur est bien le *but* de la philosophie. À quoi ça sert de philosopher ? Cela sert à être heureux, à être *plus* heureux. Mais si le bonheur est le *but* de la philosophie, il n'est pas sa *norme*. Qu'est-ce que j'entends par là ? Le but d'une activité, c'est ce vers quoi elle tend ; sa norme, c'est ce à quoi elle se soumet. Quand je dis que le bonheur est le but de la philosophie mais qu'il n'est pas sa norme, cela veut dire que ce n'est pas parce qu'une idée me rend heureux que je dois la penser – car bien des illusions confortables me rendraient plus facilement heureux que plusieurs vérités désagréables que je connais. Si je dois penser une idée, ce n'est pas parce qu'elle me rend heureux (sans quoi la philosophie ne serait qu'une version sophistiquée, et sophistique, de la méthode Coué : il s'agirait de penser « positif », comme on dit, autrement dit de se raconter des histoires). Non, si je dois penser une idée, c'est *parce qu'elle me paraît vraie*. Le bonheur est le but de la philosophie mais il n'est pas sa norme, parce que la norme de la philosophie c'est la vérité, la vérité au moins possible (on ne la connaît jamais toute, ni absolument, ni avec une totale certitude), ce que j'appellerais volontiers, corrigeant Spinoza par Montaigne, *la norme de l'idée vraie donnée ou possible*. Il s'agit de penser non pas ce qui me rend heureux, mais ce qui me paraît vrai – à charge pour moi d'essayer de trouver, face à cette vérité et fût-elle triste ou angoissante, le maximum de bonheur possible. Le bonheur est le but ; la vérité est le chemin ou la norme. Cela signifie que si le philosophe a le choix entre une vérité et un bonheur – le problème ne se pose pas toujours en ces termes, heureusement, mais il arrive que ce soit le cas –, si le philosophe a le choix entre une vérité et un bonheur, il n'est philosophe, ou digne de l'être, qu'en tant qu'il choisit la vérité. Mieux vaut une vraie tristesse qu'une fausse joie.

Sur ce dernier point, tout le monde ne sera pas d'accord. Vous êtes sans doute plusieurs, dans la salle, à vous dire qu'à tout prendre, entre une vraie tristesse et une fausse joie, vous préféreriez la fausse joie... Plusieurs, mais pas tous. Eh bien voilà : nous disposons ici d'une excellente pierre de touche, pour savoir qui est philosophe dans l'âme et qui ne l'est pas. Toute définition de la philosophie engage déjà une philosophie. De mon point de vue, n'est vraiment philosophe que celui qui aime le bonheur, comme tout le monde, mais qui aime *plus encore* la vérité – n'est philosophe que celui qui préfère une vraie tristesse à une fausse joie. En ce sens, beaucoup sont philosophes qui ne sont pas des professionnels de la philosophie, et c'est tant mieux ; et certains sont des professionnels ou des professeurs de philosophie qui ne sont pas pour autant philosophes, et c'est tant pis.

L'essentiel, c'est de ne pas mentir, et d'abord de ne pas *se* mentir. Ne pas se mentir sur la vie, sur nous-mêmes, sur le bonheur. Et c'est parce que je voudrais ne pas mentir que j'ai adopté le plan suivant. Dans un premier temps, j'essaierai de comprendre pourquoi nous ne sommes pas heureux, ou si peu, ou si mal, ou si rarement : c'est ce que j'appellerai *le bonheur manqué, ou les pièges de l'espérance*. Dans un deuxième temps, afin d'essayer de sortir de ces pièges, j'exposerai une *critique de l'espérance*, débouchant sur ce que j'appellerai *le bonheur en acte*. Enfin, dans un troisième temps, qui pourrait s'appeler *le bonheur désespérément*, je terminerai en évoquant ce que pourrait être une sagesse du désespoir, en un sens que je préciserai, qui serait aussi une sagesse du bonheur, de l'action et de l'amour.

I – Le bonheur manqué, ou les pièges de l'espérance

Pourquoi la sagesse est-elle nécessaire ? Au fond, vous pourriez me poser, ou vous poser, la question. A-t-on besoin de la sagesse ? La tradition répond que oui, mais qu'est-ce qui nous prouve qu'elle a raison ? Notre malheur. Notre insatisfaction. Notre angoisse. Pourquoi la sagesse est-elle nécessaire ? Parce que nous ne sommes pas heureux. S'il y en a dans cette salle qui sont pleinement heureux, il va de soi que je n'ai rien à leur apporter, du moins si leur bonheur est un bonheur dans la vérité : ils sont plus sages que moi. Je les autorise volontiers à quitter la salle. Mais pourquoi seraient-ils venus ? Qu'est-ce qu'un sage aurait à faire d'un philosophe ?

Pourquoi la sagesse est-elle nécessaire ? Parce que nous ne sommes pas heureux. Cela rejoint une formule de Camus, qui avait ce talent de dire simplement des choses graves et fortes : « *Les hommes meurent, et ils ne sont pas heureux.* » J'ajouterai : voilà pourquoi la sagesse est nécessaire. Parce que nous mourons, et parce que nous ne sommes pas heureux. Si nous ne mourrions pas, même sans être heureux, nous aurions le temps d'attendre, nous nous dirions que le bonheur finira bien par venir, fût-ce dans quelques siècles... Si nous étions pleinement heureux, ici et maintenant, nous pourrions peut-être accepter de mourir : cette vie, telle qu'elle est, dans

17

sa finitude, dans sa brièveté, suffirait à nous combler...
Si nous étions heureux sans être immortels, ou immortels sans être heureux, notre situation serait acceptable.
Mais être à la fois mortel et malheureux, ou se savoir
mortel sans se juger heureux, c'est une raison forte pour
essayer de s'en sortir, de philosopher pour de bon,
comme disait Épicure [1], bref pour essayer de devenir un
peu plus sage.

Cela rejoint aussi une autre formule, que rapporte
Malraux. Un jour, Malraux rencontre un vieux prêtre
catholique ; et ce qui fascine le libre-penseur qu'était
Malraux, dans ce personnage du vieux prêtre, c'est surtout ce qu'il lui suppose à juste titre d'expérience de
confesseur. Malraux l'interroge : Mon père, dites-moi
ce que vous avez découvert, dans toute cette vie de
confesseur, ce que vous a appris cette longue intimité
avec le secret des âmes... Le vieux prêtre réfléchit
quelques instants, puis répond à Malraux, je cite de
mémoire : « Je vous dirai deux choses. La première,
c'est que les gens sont beaucoup plus malheureux qu'on
ne le croit. La deuxième, c'est qu'il n'y a pas de grandes
personnes. » J'ajouterai à nouveau : voilà pourquoi la
sagesse est nécessaire, pourquoi il faut philosopher.
Parce que nous sommes beaucoup plus malheureux, ou
beaucoup moins heureux, que les autres ne le croient ;
et parce qu'il n'y a pas de grandes personnes.

C'est mon point de départ : nous ne sommes pas heureux, ou pas assez, ou trop rarement. Mais pourquoi ?

Nous ne sommes pas heureux, parfois, parce que tout
va mal. J'entends par là que ceux qui n'étaient pas heureux au Rwanda ou dans l'ex-Yougoslavie, aux pires
moments des massacres, ou ceux qui ne sont pas heureux
aujourd'hui au Timor oriental, ou plus près de nous ceux
qui souffrent de la misère, du chômage, de l'exclusion,
ceux qui sont atteints par une maladie grave ou dont l'un

----

1. *Sentence vaticane* 54 (trad. M. Conche, p. 261).

des proches est en train de mourir..., que ceux-là ne soient pas heureux, je le comprends aisément, et la plus grande urgence, pour eux, n'est sans doute pas de philosopher. Je ne dis pas qu'il n'y a pas lieu de philosopher au Timor oriental ou dans un service de cancérologie, mais je dirais que ce n'est pas la principale urgence : il faut d'abord survivre et se battre, aider et soigner.

Mais si nous ne sommes pas heureux, ce n'est pas toujours parce que tout va mal. Il arrive aussi, et plus souvent, que nous ne soyons pas heureux alors même que tout va à peu près bien, au moins pour nous. Je pense à tous ces moments où l'on se dit « j'ai tout pour être heureux ». Seulement, vous l'avez remarqué aussi bien que moi, il ne suffit pas d'avoir tout pour être heureux... pour l'être en effet. Qu'est-ce qui nous manque pour être heureux, quand on a tout pour l'être et qu'on ne l'est pas ? Il nous manque la sagesse.

Je sais bien que les stoïciens (et les épicuriens n'étaient guère moins ambitieux) prétendaient que le sage est heureux en toute circonstance, quoi qu'il puisse lui arriver. Ta maison vient de brûler ? Peu importe : si tu as la sagesse, tu es heureux ! « Mais dans ma maison, il y avait ma femme, mes enfants... Ils sont tous morts ! » Peu importe : si tu as la sagesse, tu es heureux. Peut-être... J'avoue que cette sagesse-là, je m'en sens incapable. Je ne me sens même pas capable de la désirer vraiment. D'ailleurs, les stoïciens eux-mêmes reconnaissaient qu'il se pouvait qu'aucun sage, au sens où ils prenaient le mot, n'ait jamais existé... Cette sagesse-là, absolue, inhumaine ou surhumaine, n'est qu'un idéal, qui nous éblouit au moins autant qu'il nous éclaire. Je suis comme Montaigne : « Ces humeurs transcendantes m'effraient, comme les lieux hautains et inaccessibles [1] ». Je me contenterais volontiers d'une sagesse moins ambitieuse ou moins effrayante, d'une sagesse de

_____

1. *Essais*, III, 13, p. 1115 de l'éd. Villey-Saulnier, PUF, 1978.

second rang, qui me permettrait d'être heureux non pas quand tout va mal (je n'en suis pas capable et n'en demande pas tant), mais quand tout va à peu près bien, comme c'est le cas – dans les pays un peu favorisés par l'histoire et pour beaucoup d'entre nous – le plus souvent. Une sagesse de la vie quotidienne, si vous voulez, une sagesse à la Montaigne : une sagesse pour tous les jours et pour nous tous... « Tant sage qu'il voudra, écrit encore Montaigne, mais enfin c'est un homme : qu'est-il plus caduc, plus misérable et plus de néant ? La sagesse ne force pas nos conditions naturelles [1]... » Ce n'est pas une raison pour vivre n'importe comment, ni pour renoncer au bonheur.

Qu'est-ce qui nous manque pour être heureux, quand nous avons tout pour l'être et que nous ne le sommes pas ? Ce qui nous manque, c'est la sagesse, autrement dit de *savoir vivre*, non pas au sens où l'on parle du savoir-vivre comme politesse, mais au sens profond du terme, au sens où Montaigne disait qu'il « n'est science si ardue que de bien et naturellement *savoir vivre* cette vie [2] ». Cette *science* n'en est pas une, au sens moderne du terme. C'est plutôt un art ou un apprentissage : il s'agit d'apprendre à vivre ; cela seul est philosopher en vérité [3].

Apprendre à vivre ? Soit. Mais alors on ne peut éviter le vers d'Aragon, si joliment popularisé par Brassens : « *Le temps d'apprendre à vivre il est déjà trop tard...* »

Lorsque j'étais professeur en terminale, lors de ce fameux premier cours de l'année, où il fallait expliquer aux lycéens ce que c'est que la philosophie, je citais souvent la définition d'Épicure par quoi j'ai commencé cette conférence, et puis ce vers d'Aragon, *Le temps d'apprendre à vivre il est déjà trop tard* (je ne savais pas encore qu'une idée voisine se trouve chez Montaigne :

1. *Essais*, II, 2, pp. 345-346.
2. *Essais*, III, 13, p. 1110.
3. Cf. Montaigne, *Essais*, I, 26 (« la philosophie est celle qui nous instruit à vivre... »).

« On nous apprend à vivre quand la vie est passée [1]... »).
Et je leur disais : « Voilà : philosopher cela sert à
apprendre à vivre, si possible *avant* qu'il ne soit trop
tard, avant qu'il ne soit *tout à fait* trop tard. » Enfin
j'ajoutais, avec Épicure, qu'il n'est jamais « *ni trop tôt
ni trop tard* » pour philosopher [2], puisqu'il n'est jamais
ni trop tôt ni trop tard pour « assurer la santé de
l'âme [3] », autrement dit pour apprendre à vivre ou pour
être heureux.

Nous avons un désir de bonheur. C'est toujours l'idée
de Pascal : tout homme veut être heureux, y compris
celui qui va se pendre. S'il se pend, c'est pour échapper
au malheur ; et échapper au malheur, c'est se rappro-
cher encore, autant qu'on peut, d'un certain bonheur,
fût-il négatif ou le néant même... On n'échappe pas au
principe de plaisir : vouloir lui échapper (par la mort,
par l'ascétisme...), c'est lui rester soumis.

Donc nous avons un désir de bonheur, et ce désir est
frustré, déçu, blessé. Encore un vers d'Aragon, dans le
même poème : « *Dites ces mots "Ma vie" et retenez vos
larmes*... » Le bonheur nous manque ; le bonheur est
manqué.

Pourquoi ?

Il faut partir du désir. Non seulement parce que « le
désir est l'essence même de l'homme », comme l'écrivait Spinoza [4], mais aussi parce que le bonheur est le
désirable absolu, comme le montre Aristote [5], et enfin
parce qu'être heureux, c'est – du moins en première

---

1. *Essais*, I, 26, p. 163. La pensée de Montaigne est pourtant moins
générale, et moins sombre, que celle d'Aragon : il veut simplement
signifier qu'on a tort de ne pas enseigner la philosophie dès l'enfance : « Cent écoliers ont pris la vérole avant que d'être arrivés à
leur leçon d'Aristote, de la tempérance. »
2. *Lettre à Ménécée*, 122 (trad. M. Conche, p. 217).
3. *Ibid.*
4. *Éthique*, III, Définition 1 des affections (trad. Appuhn, G-F, 1965,
p. 196).
5. *Éthique à Nicomaque*, I, 1-5 (1094 *a* – 1097 *b*), et X, 6 (1176 *a* –

approximation – avoir ce qu'on désire. On trouve cette dernière idée chez Platon, chez Épicure, chez Kant, et au fond chez chacun d'entre nous. J'y reviendrai un peu plus tard.

Qu'est-ce que le désir ? La réponse que je voudrais évoquer d'abord, et qui va traverser toute l'histoire de la philosophie, est formulée par Platon dans un de ses livres les plus fameux, *Le Banquet*. Comme son titre l'indique, il s'agit d'un repas entre amis, en l'occurrence pour fêter le succès de l'un d'entre eux à un concours de tragédie. Comme ils savent que, lorsqu'on dîne entre amis, le principal plaisir n'est pas la qualité de la nourriture mais la qualité de la conversation – et puis, pour la nourriture, il y a les domestiques qui s'en occupent –, ils décident de choisir un beau sujet de conversation : l'amour. Chacun y va de sa définition et de son éloge de l'amour. Comme ce n'est pas mon sujet, je ne retiens que la définition de Socrate, par la bouche duquel Platon a coutume de s'exprimer. Qu'est-ce que l'amour ? Pour résumer, Socrate donne la réponse suivante : *l'amour est désir, et le désir est manque*. Et Platon enfonce le clou : « *Ce qu'on n'a pas, ce qu'on n'est pas, ce dont on manque, voilà les objets du désir et de l'amour*[1]. » L'idée fera florès, jusqu'à nos jours. Par exemple chez Sartre : « *L'homme est fondamentalement désir d'être* », et « *le désir est manque*[2] ». C'est ce qui nous voue au néant ou à la caverne, disons à l'idéalisme : l'être est ailleurs, l'être est ce qui manque ! Et voilà pourquoi le bonheur, nécessairement, est manqué.

Tant que Platon a raison, ou tant que nous sommes platoniciens (mais au sens d'un platonisme spontané), tant que nous désirons ce qui nous manque, il est exclu

1177 *a*). Voir aussi l'article « Bonheur » que j'avais écrit pour l'*Encyclopaedia Universalis*, repris dans *Une éducation philosophique*, PUF, 1989.
1. *Le Banquet*, 200 *e* (trad. E. Chambry, G-F).
2. *L'Être et le Néant*, Gallimard, 1943, rééd. 1969, p. 652.

que nous soyons heureux. Pourquoi ? Parce que le désir est manque, et parce que le manque est une souffrance. Comment voulez-vous être heureux quand vous manquez, précisément, de cela même que vous désirez ? Au fond, qu'est-ce qu'être heureux ? J'évoquais la réponse que l'on trouve chez Platon, chez Épicure, chez Kant, chez n'importe qui : *être heureux, c'est avoir ce qu'on désire*. Pas forcément tout ce que l'on désire, car alors chacun comprend que l'on ne sera jamais heureux, et que le bonheur, comme dit Kant, serait un idéal non de la raison mais de l'imagination[1]. Être heureux, c'est avoir non pas tout ce qu'on désire, mais enfin une bonne partie, peut-être la plus grosse partie de ce qu'on désire. Soit. Mais si le désir est manque, on ne désire, par définition, que ce qu'on n'a pas. Or, si l'on ne désire que ce qu'on n'a pas, on n'a jamais ce qu'on désire, donc on n'est jamais heureux. Non pas que le désir ne soit jamais satisfait, la vie n'est pas difficile à ce point. Mais en ceci que, dès qu'un désir est satisfait, il n'y a plus de manque, donc plus de désir. Dès qu'un désir est satisfait, il s'abolit en tant que désir : « Le plaisir, écrira Sartre, est la mort et l'échec du désir[2]. » Et bien loin d'avoir ce qu'on désire, on a alors ce qu'on *désirait* et qu'on ne *désire* plus. Comme être heureux, ce n'est pas avoir ce qu'on *désirait* mais avoir ce qu'on *désire*, cela ne peut jamais

---

1. *Fondements de la métaphysique des mœurs*, II (trad. Delbos-Philonenko, Vrin, 1980, p. 91). Sur l'idée de bonheur chez Kant, voir *Critique de la raison pure*, « De l'idéal du souverain bien », spécialement aux pp. 543-545 de la trad. Tremesaygues et Pacaud, aux PUF (« Le bonheur est la satisfaction de tous nos penchants, aussi bien extensive, quant à leur variété, qu'intensive, quant au degré, et que protensive, quant à la durée... »). Voir aussi *Critique de la raison pratique*, « Détermination du concept du souverain bien », spécialement p. 134 de la trad. F. Picavet, PUF, 1971 (« Le bonheur est l'état dans le monde d'un être raisonnable, à qui, dans tout le cours de son existence, tout arrive suivant son souhait et sa volonté »).
2. *L'Être et le Néant*, p. 467. C'est pourquoi « le désir est lui-même voué à l'échec » (*ibid.*, p. 466).

arriver (puisqu'on ne désire, encore une fois, que ce qu'on n'a pas). Si bien que tantôt on désire ce que l'on n'a pas, et l'on souffre de ce manque, tantôt on a ce que dès lors on ne désire plus – et l'on s'ennuie, comme l'écrira Schopenhauer, ou l'on se dépêche de désirer autre chose. Lucrèce, bien avant Schopenhauer, avait dit l'essentiel : « Toujours nous tournons dans le même cercle sans pouvoir en sortir... Tant que demeure éloigné l'objet de nos désirs, il nous semble supérieur à tout le reste ; est-il à nous, que nous désirons autre chose, et la même soif de la vie nous tient toujours en haleine... [1] » Il n'y a pas d'amour heureux : tant que le désir est manque, le bonheur est manqué.

Quelques exemples, pour illustrer ce point. J'en retiendrai quatre, d'une gravité inégale.

Je commence par le plus léger. C'est l'exemple de l'après-midi de Noël. Tous les enfants sont différents, mais il y en a beaucoup, dans nos pays riches, qui dès le début du mois de novembre, pour ne pas dire dès la fin du mois d'octobre, choisissent dans tel ou tel catalogue de vente par correspondance, ou à la vitrine de tel ou tel magasin, le jouet qu'ils vont demander pour Noël. Ils le désirent tellement, ce jouet leur *manque* tellement, qu'il est exclu qu'ils soient heureux un instant d'ici Noël. On est à la fin du mois d'octobre : le bonheur est différé pour deux mois. Par chance, les enfants oublient de temps en temps que ce jouet leur manque ; il leur arrive donc, parfois, d'être heureux par inadvertance. Mais dès qu'ils y pensent, ce n'est plus possible : il leur manque trop ! Ils se disent : « Qu'est-ce que je serais heureux si je l'avais, ou quand je l'aurai ! » Or ils ne l'ont pas, et donc ils ne sont pas heureux. Ils sont séparés du bonheur par son attente.

Arrive le matin de Noël... Quand tout va bien, lorsque les parents ont pu acheter le cadeau, lorsque le papa

---

1. *De rerum natura*, III, 1080-1084 (trad. Ernout, Les Belles Lettres, 1968).

arrive à le monter, quand la notice est intelligible, quand on a pensé à acheter les piles, etc., le matin de Noël fait partie des moments qui sont plutôt faciles à vivre. Quoique... Mais bon, disons qu'il y a pire, et l'on ne va pas tarder à s'en rendre compte. C'est qu'après le matin de Noël, inévitablement, il y a l'après-midi de Noël. Et là, quelque chose commence obscurément à se corrompre, à s'assombrir, à se gâter... L'enfant devient un peu plus nerveux, grognon, bougon, comme mécontent. Les parents s'énervent à leur tour : « Qu'est-ce qu'il y a ? Tu n'es pas content ? Ce n'est pas ce que tu voulais ? » Le gamin répond : « Si, c'est exactement ce que je voulais... » Alors quoi ? Comme il n'a pas lu Platon, il ne peut pas vraiment vous répondre. Mais s'il l'avait lu, il vous dirait : « Ce que je suis en train de comprendre, tu vois, c'est qu'il est très facile de désirer le jouet que l'on n'a pas, celui qui nous manque, et de se dire qu'on serait heureux si on l'avait... Mais qu'il est bien plus difficile de désirer le jouet qu'on a, celui qui ne manque plus ! Au fond, c'est ce qu'explique Platon : le désir est manque. Ce jouet que tu m'as donné ne me manque plus, puisque je l'ai, et donc je ne le désire plus... Comment serais-je heureux ? Je n'ai pas ce que je désire, mais simplement ce que je *désirais*... » Comme il n'a pas lu Platon, et comme il est gentil, il se contente de jouer comme il peut, pour vous faire plaisir, il fait semblant d'être heureux... L'après-midi se passe, puis le dîner... Les enfants vont se coucher et, lorsque vous allez faire les câlins d'usage, le gamin vous demande : « Dis, papa, c'est quand, Noël ? » Le père est un peu désarçonné : « Attends, tu me fais peur... Noël, c'était aujourd'hui ! » « Oui, je sais, répond le gamin, mais je veux dire... le Noël prochain ? » Et c'est reparti pour un tour...

Le deuxième exemple est plus grave : c'est l'exemple du chômage. Chacun comprend que le chômage est un malheur, et personne ne s'étonnerait qu'un chômeur lui dise : « Qu'est-ce que je serais heureux si j'avais du travail ! » Le chômage est un malheur. Mais où avez-vous vu que le travail soit un bonheur ? Quand on est au chômage, surtout si ça dure longtemps, on se dit : « Qu'est-ce que je serais heureux si j'avais du travail ! » Mais cela ne vaut que pour celui qui n'en a pas. Pour le chômeur, le travail pourrait être un bonheur ; mais quand on a un travail, le travail n'est pas un bonheur : le travail est un travail.

Troisième exemple, le plus tragique des quatre. C'est un exemple personnel, mais non pas dans le sens où j'aurais été du côté de la tragédie. C'est un souvenir d'enfance, et sans doute la première idée philosophique que j'ai eue – idée bien niaise, comme il convient pour une première idée. Je devais avoir sept ou huit ans ; je vois un aveugle. J'en avais déjà vu auparavant, mais je réalise pour la première fois ce que c'est qu'être aveugle, ce que cela veut dire. Je fais comme font les gamins, je ferme les yeux quelques secondes, j'avance à tâtons, cela me paraît atroce... Je me dis : « Mais cet aveugle, s'il recouvrait la vue, il serait heureux comme un fou, simplement *de voir* ! Et donc moi, me disais-je, moi qui ne suis pas aveugle, je dois être heureux comme un fou, puisque je vois ! » Et je croyais – c'est l'idée bien niaise que j'évoquais – avoir découvert le secret du bonheur : je serais désormais perpétuellement heureux, puisque la vue ne me manquait pas, puisque je voyais ! J'ai essayé... Cela n'a jamais marché. Parce qu'aussi assurément être aveugle est un malheur, aussi assurément la vue n'a jamais suffi à faire le bonheur de quiconque. Tout le tragique de notre condition se résume là : la vue ne peut faire le bonheur que d'un aveugle. Or elle ne fait pas son bonheur, puisqu'il est aveugle et que la vue lui manque ; et elle ne fait pas le nôtre, puisque nous voyons et que la vue, en conséquence, ne nous manque pas. Il n'y a pas de vue heureuse, ou pas de vue, en tout cas, qui suffise au bonheur.

Dernier exemple, plus léger : celui de l'amour, du couple. Souvenez-vous de Proust, dans *À la recherche du temps perdu* : « Albertine présente, Albertine disparue... » Quand elle n'est pas là, il souffre atrocement : il est prêt à tout pour qu'elle revienne. Quand elle est là, il s'ennuie : il est prêt à tout pour qu'elle s'en aille. Rien de plus facile que d'aimer celui ou celle que l'on n'a pas, celui ou celle qui nous manque : cela s'appelle être amoureux, et c'est à la portée de n'importe qui. Mais aimer celui ou celle que l'on a, celui ou celle avec qui l'on vit, c'est autre chose ! Qui n'a vécu ces oscillations, ces intermittences du cœur ? Tantôt nous aimons celui ou celle que nous n'avons pas, et nous souffrons de ce manque : c'est ce qu'on appelle un chagrin d'amour. Tantôt nous avons celui ou celle qui ne nous manque plus, et nous nous ennuyons : c'est ce qu'on appelle un couple. Et il est rare que cela suffise au bonheur.

C'est ce que Schopenhauer, en génial disciple de Platon, résumera bien plus tard, au XIXe siècle, en une phrase, dont je dis toujours que c'est la plus triste de l'histoire de la philosophie. Quand je désire ce que je n'ai pas, c'est le manque, la frustration, ce que Schopenhauer appelle la souffrance. Et quand le désir est satisfait ? Ce n'est plus la souffrance, puisqu'il n'y a plus de manque. Ce n'est pas le bonheur, puisqu'il n'y a plus de désir. C'est ce que Schopenhauer appelle *l'ennui*, qui est l'absence du bonheur au lieu même de sa présence attendue. On se disait : « Qu'est-ce que je serais heureux si... » Et tantôt le *si* ne se réalise pas, et l'on est malheureux ; tantôt il se réalise, et l'on n'est pas heureux pour autant : on s'ennuie ou l'on désire autre chose. D'où cette phrase que j'annonçais, qui résume si tristement l'essentiel : « *La vie donc oscille, comme un pendule, de droite à gauche, de la souffrance à l'ennui* [1]. » Souffrance parce que je désire ce que je n'ai pas, et que

---

1. *Le Monde comme volonté et comme représentation*, IV, 57, trad. Burdeau-Roos, PUF, 1978, p. 394.

je souffre de ce manque ; ennui parce que j'ai ce que dès lors je ne désire plus.

« Il y a deux catastrophes dans l'existence, disait George Bernard Shaw : la première, c'est quand nos désirs ne sont pas satisfaits ; la seconde, c'est quand ils le sont. » Frustration ou déception. Souffrance ou ennui. Inanition ou inanité. C'est le monde de *l'Ecclésiaste* : tout est vanité et poursuite de vent.

Parce que le désir est manque, et dans la mesure où il est manque, le bonheur nécessairement est manqué. C'est ce que j'appelle les pièges de l'espérance – l'espérance étant le manque même, j'y reviendrai, dans le temps et dans l'ignorance. On n'espère que ce qu'on n'a pas. Essayez un peu, pour voir, d'espérer être assis ! Vous ne le pouvez pas, tout simplement parce que vous *êtes* assis. On n'espère que ce qu'on n'a pas, et l'on est pour cela d'autant moins heureux qu'on espère davantage le devenir. Nous ne cessons d'être séparés du bonheur par l'espérance même qui le poursuit. Dès lors qu'on espère le bonheur (« *Qu'est-ce que je serais heureux si...* »), on ne peut échapper à la déception : soit parce que l'espoir n'est pas satisfait (souffrance, frustration), soit parce qu'il l'est (ennui ou, à nouveau, frustration : comme on ne peut désirer que ce qui manque, on désire immédiatement autre chose et l'on n'est pas heureux pour autant...). C'est ce que Woody Allen résume en une formule : « *Qu'est-ce que je serais heureux, si j'étais heureux !* » Il est donc impossible qu'il le soit jamais, puisqu'il ne cesse d'espérer le devenir. C'est aussi ce que Pascal, à un niveau de génie au moins comparable, résume à sa façon, dans les *Pensées*. Il s'agit d'un fragment d'une vingtaine de lignes, consacré au temps. Pascal explique qu'on ne vit jamais pour le présent : on vit un peu pour le passé, explique-t-il, et surtout beaucoup, beaucoup pour l'avenir. Le fragment se termine de la façon suivante : « *Ainsi, nous ne vivons jamais, nous espérons de vivre ; et, nous disposant toujours à être heureux, il est inévitable que nous ne le soyons jamais*[1]. »

Que faire ? Comment échapper à ce cycle de la frustration et de l'ennui, de l'espérance et de la déception ?

Il y a plusieurs stratégies possibles. D'abord l'oubli, le *divertissement*, comme dit Pascal. Pensons vite à autre chose ! Faisons comme tout le monde : faisons semblant d'être heureux, faisons semblant de ne pas nous ennuyer, faisons semblant de ne pas mourir... Je ne m'y arrête pas. C'est une stratégie non philosophique, puisqu'il s'agit justement, en philosophie, de ne pas faire semblant.

Deuxième stratégie possible : ce que j'appellerai la *fuite en avant*, d'espérances en espérances. Un peu comme ces joueurs du Loto, qui se consolent toutes les semaines d'avoir perdu par l'espérance qu'ils gagneront la semaine suivante... Si cela les aide à vivre, ce n'est pas moi qui le leur reprocherai. Mais, là encore, vous m'accorderez que cela ne fait pas une philosophie, encore moins une sagesse.

La troisième stratégie prolonge la précédente, mais en changeant de niveau. Ce n'est plus une fuite en avant, d'espérances en espérances, mais plutôt un *saut*, comme dirait Camus, dans une espérance absolue, religieuse, qui n'est pas susceptible, croit-on, d'être déçue (puisque, s'il n'y a pas de vie après la mort, il n'y aura plus personne pour s'en apercevoir). Au fond, c'est la stratégie de Pascal. Le même Pascal qui explique si bien

---

1. *Pensées*, 47-172. Voir aussi la huitième *Lettre aux Roannez*, de décembre 1656 (p. 270, dans l'éd. Lafuma, Seuil, coll. « L'Intégrale », 1963) : « Le monde est si inquiet qu'on ne pense presque jamais à la présente et à l'instant où l'on vit ; mais à celui où l'on vivra. De sorte qu'on est toujours en état de vivre à l'avenir, et jamais de vivre maintenant. » Ou encore le fragment 148-425 des *Pensées* : « Nous attendons que notre attente ne sera pas déçue en cette occasion comme en l'autre ; et ainsi, le présent ne nous satisfaisant jamais, l'expérience nous pipe, et de malheur en malheur nous mène jusqu'à la mort, qui en est un comble éternel. »

que « nous disposant toujours à être heureux, il est inévitable que nous ne le soyons jamais », le même écrit, dans un autre fragment des *Pensées* : « *Il n'y a de bien en cette vie qu'en l'espérance d'une autre vie*[1]. » C'est le saut religieux : espérer le bonheur pour après la mort. Ou en termes théologiques : passer de l'*espoir* (comme passion) à l'*espérance* (comme vertu théologale : parce qu'elle a Dieu même pour objet). Cette stratégie a ses lettres de noblesse philosophique... Encore faut-il avoir la foi, et vous savez que je ne l'ai pas. Ou être prêt à *parier* sa vie, comme dirait Pascal, et je m'y refuse : la pensée doit se soumettre au plus vrai, ou au plus vraisemblable, non au plus avantageux.

J'ai donc dû essayer d'inventer, ou de réinventer, une autre stratégie. Non plus l'oubli ou le divertissement, non plus la fuite en avant d'espérances en espérances, non plus le *saut* dans une espérance absolue, mais, au contraire, une tentative pour essayer de nous libérer de ce cycle de l'espérance et de la déception, de l'angoisse et de l'ennui, une tentative – puisque toute espérance est déçue toujours – pour essayer de nous libérer de l'espérance elle-même.

C'est ce qui m'amène à mon deuxième point...

II – Critique de l'espérance, ou le bonheur en acte

Il n'est pas question, en si peu de temps, de faire de l'histoire de la philosophie, ni de rentrer comme il faudrait dans la pensée de chacun des auteurs que je viens

---

1. *Pensées*, 427-194. Voir aussi le fameux argument du *pari*, au fragment 418-233.

d'évoquer. Permettez-moi, pour faire vite, de les prendre ensemble, en bloc, et de façon, il le faut bien, quelque peu cavalière. Il me semble, malgré toute l'admiration que j'ai pour eux, que Platon, Pascal, Schopenhauer ou Sartre poussent, comme on dit familièrement, le bouchon un peu loin... Nous ne sommes pas malheureux à ce point. Que nous soyons moins heureux que les autres ne le croient ou que nous ne faisons semblant de l'être, c'est entendu ; mais aussi malheureux que nous devrions l'être si Platon, Pascal, Schopenhauer ou Sartre avaient raison, malgré tout, non, me semble-t-il, ou en tout cas pas toujours. C'est qu'entre le bonheur attendu (« *Qu'est-ce que je serais heureux si...* ») et le bonheur manqué, autrement dit entre l'espérance et la déception, entre la souffrance et l'ennui, il y a une ou deux petites choses que Platon, Pascal, Schopenhauer, Sartre oublient, ou dont ils sous-estiment gravement l'importance. Ces deux petites choses, c'est le plaisir et c'est la joie.

Or, quand y a-t-il plaisir ? Quand y a-t-il joie ? Il y a plaisir, il y a joie quand on désire ce qu'on a, ce qu'on fait, ce qui est : il y a plaisir, il y a joie lorsqu'on désire ce qui ne manque pas ! Pour le dire autrement : il y a plaisir, il y a joie *toutes les fois où Platon a tort* [1]. Ce qui n'est pas encore une réfutation du platonisme – qu'est-ce qui nous prouve que le plaisir ou la joie ont raison ? –, mais qui fait, malgré tout, une motivation forte pour n'être pas platonicien, ou pour résister à Platon.

Quelques exemples...

Vous êtes en train de vous promener à la campagne, il fait très chaud, vous avez soif. Vous vous dites non

1. Au moins le Platon du *Banquet*, celui pour lequel on ne peut désirer que « ce qui n'est ni actuel ni présent », autrement dit que ce qui manque. Sans réhabiliter tout à fait le plaisir, Platon lui donnera pourtant une place (en distinguant des « plaisirs purs » et « impurs ») dans la vie heureuse : voir spécialement le *Philèbe* et la *République* (surtout aux livres IV et IX).

pas : « Qu'est-ce que je serais heureux si je pouvais boire une bière bien fraîche », vous n'êtes pas naïf à ce point, mais : « Quel plaisir ce serait de boire une bière bien fraîche ! » Au détour d'un chemin, vous tombez sur une auberge de campagne : on vous sert une bière bien fraîche. Vous commencez à la boire... Et l'ombre de Schopenhauer, sarcastique, vous murmure à l'oreille : « Eh oui, je sais bien, ce n'est que cela... La même bière si désirable, tant qu'elle te manquait, voilà qu'elle t'ennuie déjà... » Vous lui répondez : « Mais non, imbécile ! Qu'est-ce que c'est bon de boire une bière bien fraîche quand on a soif ! »

Vous êtes en train de faire l'amour avec l'homme ou la femme que vous aimez, ou que vous désirez, et l'ombre de Schopenhauer, qui tient la chandelle, vous murmure, sarcastique, à l'oreille :

— Eh oui, je sais bien, toujours pareil : ce n'est que cela... Tu te disais : « Qu'est-ce que j'aimerais l'avoir, qu'est-ce que je serais heureux si je l'avais ! » Oui, tant qu'il te manquait, tant qu'elle te manquait. Mais maintenant que tu l'as, il ne te manque plus, elle ne te manque plus, et tu t'ennuies déjà...

— Mais non, imbécile ! Qu'est-ce que c'est bon de faire l'amour quand on en a envie, avec la personne dont on a envie, et d'autant plus qu'elle ne manque pas, qu'elle est là, au contraire, qu'elle se donne, merveilleusement présente, merveilleusement offerte, merveilleusement disponible !

Sincèrement, si nous ne pouvions désirer que ce qui nous manque, que celui ou celle qui n'est pas là, notre vie sexuelle – notamment la nôtre, Messieurs – serait encore plus compliquée qu'elle n'est...

Et comment pourrais-je avoir du plaisir à vous parler, comment pouvez-vous avoir, peut-être, du plaisir à m'écouter, si nous ne pouvions désirer que ce qui nous manque ? Pour vous parler, il faut bien que je désire à chaque fois le mot que je prononce, et non pas, comme répondrait vraisemblablement Platon, le mot que je prononcerai tout à l'heure – parce qu'essayez un peu de parler en désirant le mot que vous prononcerez tout à l'heure, vous m'en direz des nouvelles... Si j'ai plaisir à vous parler, c'est parce que je désire vous parler, et que cela ne me manque nullement : puisque c'est exactement ce que je fais, ici et maintenant !

On pourrait multiplier les exemples. Le plaisir de la promenade, c'est d'être où l'on désire être, de faire les pas que l'on fait, que l'on désire faire, et non de désirer être ailleurs ou effectuer d'autres pas, ceux qu'on fera plus tard ou là-bas... Le plaisir du voyage, pareillement et comme disait Baudelaire, c'est de partir pour partir. Triste voyageur, que celui qui n'attend le bonheur que pour son arrivée !

Quelle est l'erreur commune – malgré tout ce qui les sépare – de Platon, Pascal, Schopenhauer ou Sartre ? Leur erreur est la suivante : *ils ont confondu le désir et l'espérance*. J'en veux pour preuve que dans *Le Banquet*, quand Socrate dit qu'on ne désire que ce qu'on n'a pas, que ce qui n'est pas, que ce qui nous manque, il imagine qu'un de ses interlocuteurs lui objecte à peu près : « Mais non, pas du tout ! Moi, par exemple, je suis en bonne santé et je désire la santé. Je désire donc ce qui ne me manque pas. » Socrate, avec la subtilité d'esprit qu'on lui connaît, trouve bien vite la parade : « Tu es en bonne santé, bien sûr, et tu désires la santé ; mais ce n'est pas la même santé que tu as et que tu désires. Tu es en bonne santé maintenant, et cela tu ne peux pas le désirer, puisque tu l'as ; ce que tu désires, c'est la bonne santé pour demain, pour plus tard, la bonne santé à venir, et celle-là tu ne l'as pas : c'est pourquoi tu la désires[1] ! » C'est confondre le désir et l'espérance. Or ce sont deux choses différentes, liées bien sûr, mais différentes. Je vous ai fait observer tout à l'heure que vous ne pouviez pas espérer être assis ou m'écouter, ni

1. Voir *Le Banquet*, 200 *b-e*.

moi espérer vous parler, puisque vous êtes assis, puisque vous m'écoutez, puisque je vous parle. Mais si vous ne pouvez pas *espérer* être assis, vous pouvez le *désirer*, et même vous le désirez tous. Vous vous dites peut-être : « C'est trop fort ! Que sait-il de mes désirs ? » J'en sais que vous êtes assis, ce à quoi personne ne vous oblige. Vous êtes donc assis volontairement, parce que vous *désirez* rester assis. Vous désirez donc ce qui ne vous manque pas. Si bien que nous sommes plusieurs centaines ici à réfuter Platon en acte – puisqu'il dit qu'on ne désire que ce qui manque, et que nous sommes plusieurs centaines, dans cette salle, à désirer rester assis, ce qui d'évidence ne nous manque pas.

Certains d'entre vous pensent peut-être qu'ils aimeraient bien se lever et s'en aller, que ce n'est pas l'envie qui leur manque, mais qu'aux « *Lundis philo* » cela ne se fait pas : on a de l'éducation, on écoute le conférencier jusqu'au bout... Je vous répondrai que les raisons que vous avez de désirer rester assis, c'est votre problème. Que ce soit par politesse, en effet, que ce soit par fatigue, par goût du confort ou en raison de l'intérêt passionné que vous prêtez à mon propos, cela ne me regarde pas. Tout ce que je constate, c'est que vous restez volontairement assis, que personne ne vous y oblige, autrement dit que vous restez assis parce que vous le désirez (vous seriez autrement déjà debout ou en train de vous lever), et que donc vous désirez ce qui ne vous manque pas. Et si j'ai tant de plaisir à vous parler, c'est pour la même raison : je désire ce que je fais, ici et maintenant, je fais ce que je désire !

Cela vaut pour toute action. Malheureux le coureur à pied qui ne désire que les foulées à venir, non celles qu'il fait, le militant qui ne désire que la victoire, non le combat, l'amant qui ne désire que l'orgasme, non l'amour ! Mais si tel était le cas, pourquoi et comment courrait-il ? militerait-il ? ferait-il l'amour ? Tout acte a besoin d'une cause prochaine, efficiente et non finale, et le désir, comme le remarquait Aristote, est l'unique force motrice[1]. C'est pourquoi nous pouvons être heureux, c'est pourquoi nous le sommes, parfois : parce que nous faisons ce que nous désirons, parce que nous désirons ce que nous faisons !

C'est ce que j'appelle le bonheur en acte, qui n'est pas autre chose que l'acte même comme bonheur : désirer ce qu'on a, ce qu'on fait, ce qui est – ce qui ne manque pas. Autrement dit jouir et se réjouir. Mais ce bonheur en acte est du même coup un bonheur désespéré, au moins en un certain sens : c'est un bonheur qui n'espère rien.

Qu'est-ce, en effet, que l'espérance ? C'est un désir : on ne peut pas espérer ce qu'on ne désire pas. Toute espérance est un désir ; mais tout désir n'est pas une espérance. Le désir est le *genre prochain*, comme dirait Aristote, dont l'espérance est une certaine *espèce*. Reste à trouver la ou les différences spécifiques, c'est-à-dire la ou les caractéristiques qui vont venir spécifier l'espérance dans le champ plus général du désir. Je vais vous proposer trois caractéristiques de l'espérance, trois différences spécifiques. Mises bout à bout, elles constitueront une définition de l'espérance.

Première caractéristique. Qu'est-ce que l'espérance ? Beaucoup répondront que c'est un désir qui porte sur l'avenir. C'est ce que j'ai cru longtemps, et qui est souvent vrai. Mais ce n'est pas le cas de toute espérance ni, nous le verrons, de l'espérance seule ; cela ne peut donc servir de caractéristique définitionnelle. La première caractéristique que je retiendrai est autre : une espérance, c'est un désir qui porte sur ce qu'on n'a pas,

---

1. Voir le *De anima*, II, 3, 414 b 1-5, et surtout III, 10, 433 *a* 20 – *b* 30 (trad. Tricot, Vrin, 1982, p. 81 et 204-207). Il faudrait bien sûr relire ce texte d'un point de vue non finaliste (et donc, dans cette mesure, non aristotélicien), par exemple du point de vue de Spinoza (voir spécialement *Éthique*, IV, Préface : « Ce qu'on appelle cause finale n'est d'ailleurs rien d'autre que l'appétit humain en tant qu'il est considéré comme le principe ou la cause primitive d'une chose, [...] et cet appétit est en réalité une cause efficiente »).

ou sur ce qui n'est pas, autrement dit un désir qui *manque* de son objet. C'est le désir selon Platon. Et c'est la raison pour laquelle le plus souvent, en effet, l'espérance porte sur l'avenir : parce que l'avenir n'est jamais là, parce que de l'avenir, par définition, on n'a pas la jouissance effective. C'est pourquoi on l'espère : *espérer, c'est désirer sans jouir.*

Deuxième caractéristique. Je disais que l'espérance porte le plus souvent sur l'avenir... Le plus souvent, oui, mais pas toujours. On peut aussi espérer quelque chose qui n'est pas à venir : l'espérance peut porter sur le présent, voire, paradoxalement, sur le passé. Je prendrais volontiers un exemple religieux. Combien espèrent que Dieu existe (ce qui est du présent) et que le Christ a ressuscité (ce qui est du passé) ? Mais cela nous entraînerait trop loin. Prenons un exemple plus simple. Imaginez que votre meilleur ami vive à New York. Il vous a écrit une lettre, que vous avez reçue il y a une quinzaine de jours, dans laquelle il vous disait qu'il ne se sentait pas bien, qu'il était un peu inquiet, qu'il allait voir un médecin... La lettre n'était pas vraiment alarmante... Vous laissez passer une huitaine de jours, puis vous lui envoyez un mot : « *J'espère que tu vas mieux.* » Non pas « que tu *iras* mieux ». Il vous a écrit il y a deux semaines ; entre-temps il a dû voir son médecin, prendre des médicaments, il doit être guéri ou en bonne voie de l'être... Vous lui écrivez : « J'espère que tu vas mieux. » C'est une espérance, et elle porte sur le présent.

Votre ami vous répond qu'il a effectivement vu le médecin, mais que cela ne va pas mieux, que le médecin lui-même est très inquiet, qu'il a diagnostiqué un trouble cardiaque sévère : « Je me fais opérer demain, écrit votre ami, une opération à cœur ouvert... » Pour le coup très inquiet, vous lui répondez immédiatement, par fax ou par *e-mail*. Mais le temps que sa lettre arrive de New York, il s'est passé deux jours. Il vous disait : « Je me fais opérer demain. » Lorsque vous recevez la lettre, il s'est donc fait opérer la veille. Vous lui écrivez : « J'espère que ton opération *s'est bien passée*. » C'est une espérance, et elle porte sur le passé.

Je ne joue pas sur les mots. Imaginez qu'il s'agisse vraiment de votre meilleur ami, ou de votre fils, de votre fille, non seulement c'est bien une espérance mais c'est même l'espérance la plus forte que vous ayez à ce moment-là. « Pourvu, vous dites-vous, que l'opération se soit bien passée ! Qu'est-ce que je serais heureux si l'opération s'est bien passée ! »

Ce n'est pas votre fils, pas votre fille, même pas votre meilleur ami. L'opération s'est mal passée. Il est mort. Vous écrivez à sa veuve : « J'espère qu'il n'a pas souffert. » C'est une espérance, et elle porte sur le passé.

Ces petites expériences de pensée m'intéressent, car elles me permettent de poser la question suivante : comment se fait-il que nous ne puissions pas espérer être assis (ce qui est du présent), alors que nous pouvons espérer que notre ami va mieux (ce qui est aussi du présent) ? Comment se fait-il que nous ne puissions pas espérer avoir pénétré dans cet amphithéâtre (ce qui est du passé), alors que nous pouvons espérer que l'opération a réussi (ce qui est aussi du passé) ? Pourquoi y a-t-il espérance dans un cas et pas dans l'autre, alors que l'orientation temporelle est la même ? La réponse est simple : c'est que nous savons pertinemment que nous sommes assis et que nous avons pénétré dans cette salle, alors que nous ne savons pas si notre ami va mieux ou si l'opération a réussi. Dans un cas, il y a savoir, connaissance, et aucune espérance n'est possible ; dans l'autre cas, il y a ignorance, et l'espérance, dès lors qu'il y a désir, est à peu près inévitable. D'où ma deuxième caractéristique de l'espérance : *une espérance, c'est un désir qui ignore s'il est ou s'il sera satisfait*. Je disais : espérer, c'est désirer sans jouir. Je peux ajouter : *espérer, c'est désirer sans savoir*.

Voilà pourquoi, à nouveau, l'espérance porte le plus souvent sur l'avenir : parce que l'avenir, le plus souvent, est inconnu. Est-il connu, qu'il n'est plus l'objet d'une espérance. Souvenez-vous de l'éclipse de cet été. Huit jours avant, vous pouviez espérer la voir dans de bonnes conditions (si vous craigniez d'en être empêchés par les nuages), mais pas – sauf à être complètement ignorant en astronomie – espérer qu'elle aurait lieu. On n'espère que ce qu'on ignore : quand on sait, il n'y a plus lieu d'espérer.

Même chose, bien sûr, pour le passé. Une fois que vous connaissez le résultat de l'opération qu'a subie votre ami, et que ce résultat soit positif ou négatif, il cesse pour vous d'être l'objet d'une espérance. Vous ne pouvez espérer qu'autre chose, que vous ne savez pas (par exemple qu'il n'aura pas de rechute, si l'opération a réussi, ou qu'il n'a pas souffert, si elle a échoué et qu'il est mort...). L'espérance et la connaissance ne se rencontrent jamais, en tout cas ne portent jamais sur le même objet : on n'espère jamais ce qu'on sait ; on ne connaît jamais ce qu'on espère.

Donc toute espérance ne porte pas forcément sur l'avenir. On peut espérer aussi le passé ou le présent, pour peu qu'on les ignore. Mais il y a plus : tout désir portant sur l'avenir n'est pas non plus toujours une espérance. Là encore, je le prouve d'un exemple. Imaginez la tête de notre ami Didier Périgois, qui organise ces « *Lundis Philo* », si, lorsque je l'ai eu au téléphone, il y a trois jours (il m'appelait pour vérifier que tout allait bien, que je n'avais pas oublié notre soirée, pour qu'on se mette d'accord sur l'heure du rendez-vous, etc.), imaginez sa tête si je lui avais répondu : « J'espère venir ! » Il m'aurait dit : « Arrêtez, vous me faites peur ! Il ne s'agit pas d'espérer. Il y aura beaucoup de monde, la salle est déjà complète : nous comptons sur vous ! » Mais vous vous doutez bien que je ne lui ai pas dit : « J'espère venir. » Je lui ai dit : « Je serai là. » Et pourtant je *désirais* venir. Et pourtant c'était dans l'avenir, puisqu'il m'a appelé il y a trois jours. Pourquoi n'était-ce pas une espérance ? Parce que venir vous parler, *cela dépendait de moi*. Certes, j'aurais pu mourir entre-temps, me casser une jambe, il aurait pu y avoir une guerre atomique... Aussi aurais-je pu, si j'en avais eu le temps ou le souci, espérer que rien de tout cela n'arriverait. Mais venir à Nantes, dès lors qu'il n'y avait pas d'empêchement majeur, cela dépendait de moi : c'était l'objet non d'une espérance, mais d'une volonté.

Nul n'espère ce dont il se sait capable. Cela en dit long sur l'espérance. S'il y a quelqu'un, dans cette salle, qui peut nous dire, en esprit et en vérité, « *J'espère me lever tout à l'heure* », c'est qu'il est très malade dans son corps ou dans sa tête. Non pas qu'aucun d'entre nous ait l'intention de rester définitivement assis... Mais nous lever tout à l'heure, c'est pour nous un projet, une intention, une prévision, assurément pas une espérance. Pourquoi ? Parce que nous savons très bien que nous en sommes capables. En revanche, nous pouvons espérer que nous n'aurons pas d'accident sur la route du retour : parce que cela ne dépend pas que de nous. C'est ce qui distingue l'espérance de la volonté : une espérance, c'est un désir dont la satisfaction ne dépend pas de nous, comme disaient les stoïciens – par différence avec la *volonté*, laquelle, au contraire, est un désir dont la satisfaction dépend de nous.

Celui qui vous dit « Je *veux* qu'il fasse beau demain », vous pourriez lui répondre : « Tu peux dire "je veux", mais la vérité c'est que tu l'espères, car cela ne dépend pas de toi. » Et au lycéen qui vous dit « Je *veux* avoir le bac » : « Tu as raison de tout faire pour ; mais tu peux être malade ou tomber sur un correcteur fou... La vérité, c'est que tu espères avoir le bac ! » « Très bien, vous répond le lycéen : *j'espère* le préparer sérieusement. » « Non, car cette fois cela dépend de toi : il ne s'agit plus d'espérer, il s'agit de vouloir ! »

On n'espère que ce qu'on est incapable de faire, que ce qui ne dépend pas de nous. Quand on peut faire, il n'y a plus lieu d'espérer, il s'agit de vouloir. C'est la troisième caractéristique : *l'espérance est un désir dont la satisfaction ne dépend pas de nous.* Je disais : espérer, c'est désirer sans jouir ; espérer, c'est désirer sans savoir. Je peux ajouter : *espérer, c'est désirer sans pouvoir.*

Mises bout à bout, ces trois caractéristiques de l'espérance aboutissent à une définition. *Qu'est-ce que l'espérance ? C'est un désir qui porte sur ce qu'on n'a pas (un* manque*), dont on ignore s'il est ou s'il sera satisfait, enfin dont la satisfaction ne dépend pas de nous : espérer, c'est désirer sans jouir, sans savoir, sans pouvoir.*

Vous comprenez pourquoi Spinoza voyait dans l'espérance « un manque de connaissance » (espérer c'est désirer sans savoir) et comme « une impuissance de l'âme » (espérer c'est désirer sans pouvoir), pourquoi il disait que « plus nous nous efforçons de vivre sous la conduite de la raison, plus nous faisons effort pour nous rendre moins dépendants de l'espoir[1] »... Ou pourquoi les stoïciens considéraient l'espérance comme une passion, non comme une vertu, comme une faiblesse, non comme une force. Si le sage ne désire que ce qui dépend de lui (ses volitions) ou que ce qu'il connaît (le réel), qu'a-t-il besoin d'espérer ?

C'est l'esprit du stoïcisme. C'est l'esprit de Spinoza. C'est l'esprit d'Épicure[2]. Le plaisir, la connaissance et l'action n'ont que faire de l'espérance, et même, à proportion de leur réalité, ils l'excluent.

Pourquoi le plaisir ? Parce que je disais : *espérer, c'est désirer sans jouir.* Le contraire de désirer sans jouir, dès lors qu'il y a désir (mais si on est vivant, il y a désir), c'est désirer en jouissant, désirer ce dont on jouit – dans la sexualité, dans l'art, dans la promenade, dans l'amitié, dans la gastronomie, dans le sport, dans le travail, etc. C'est donc le plaisir lui-même.

---

1. *Éthique,* IV, scolie de la prop. 47.
2. Même si Épicure laisse une certaine place à l'espérance (ce qu'il appelle « l'espoir fondé », que j'appellerais plutôt la confiance) : voir à ce propos ce que j'écrivais dans *Vivre,* pp. 214 à 223.

Pourquoi la connaissance ? Parce que je disais : *espérer, c'est désirer sans savoir*. Le contraire de désirer sans savoir, c'est désirer ce qu'on sait. C'est donc la connaissance elle-même, du moins pour celui qui la désire, pour celui qui aime la vérité, et d'autant plus qu'elle ne manque pas. Le sage, en ce sens, est un « connaisseur », comme on dit en matière de vin ou de cuisine. Le « connaisseur », ce n'est pas seulement celui qui connaît, mais aussi celui qui aime. Le sage est un connaisseur de la vie : il sait la connaître et l'apprécier !

Pourquoi l'action ? Parce que je disais : *espérer, c'est désirer sans pouvoir*. Le contraire de désirer sans pouvoir, c'est désirer ce qu'on peut, donc ce qu'on fait. La seule façon de pouvoir effectivement, c'est de vouloir ; et la seule façon vraie de vouloir, c'est de faire. Essayez de vouloir tendre le bras, sans le tendre en effet... Peut-être que certains se retiennent le bras et pensent : « Voyez, je ne peux pas ; je veux tendre le bras, je n'y arrive pas ! » Non. Tu veux t'empêcher, avec la main gauche, de tendre le bras droit, et c'est exactement ce que tu fais. Autrement dit, et c'est l'immense leçon stoïcienne, *on veut toujours ce qu'on fait, on fait toujours ce qu'on veut* – pas toujours ce qu'on désire ou ce qu'on espère, tant s'en faut, mais toujours ce qu'on veut. Encore une fois, c'est la différence entre l'*espérance* (désirer ce qui ne dépend pas de nous) et la *volonté* (désirer ce qui en dépend). D'où la belle formule de Sénèque, qui écrit en substance à son ami Lucilius, je cite de mémoire : « *Quand tu auras désappris à espérer, je t'apprendrai à vouloir.* » Autrement dit à agir, puisque vouloir et faire sont une seule et même chose.

Considérez par exemple la politique. C'est bien beau d'espérer la justice, la paix, la liberté, en tout cas ce n'est pas condamnable. Mais ce n'est pas non plus suffisant : reste à agir pour elles, ce qui n'est plus une espérance mais une volonté. C'est la différence qu'il y avait, pendant l'Occupation, entre les résistants, qui voulaient la défaite du nazisme, et ces millions de braves gens qui se contentaient de l'espérer... C'est mieux que d'avoir été collabo (mieux vaut ne rien faire que faire le mal) ; mais, si tous les démocrates s'étaient contentés d'espérer, le nazisme aurait gagné la guerre. Ce n'est pas l'espérance qui fait les héros ; c'est le courage et la volonté.

Platon, Pascal, Schopenhauer ont donc tort, ou du moins ils n'ont pas raison toujours. S'il est vrai qu'on désire surtout ce qu'on n'a pas, et donc s'il est vrai que nos désirs sont le plus souvent des espérances, on peut aussi désirer ce dont on jouit (cela s'appelle le plaisir, et chacun sait qu'il y a une joie du plaisir) ; on peut désirer ce qu'on sait (cela s'appelle connaître, et chacun sait qu'il y a une joie de la connaissance, du moins quand on aime la vérité) ; on peut désirer ce qu'on fait (cela s'appelle agir, et chacun sait qu'il y a une joie de l'action).

S'il est vrai qu'on est d'autant moins heureux qu'on espère davantage le devenir, il est vrai aussi qu'on espère d'autant moins le devenir qu'on sait davantage l'être déjà. Le contraire d'espérer, ce n'est pas craindre, comme on le croit communément. Là encore, Spinoza a raison : « Il n'y a pas d'espoir sans crainte, ni de crainte sans espoir[1]. » Tu espères être reçu à ton examen ? Tu as donc peur d'être recalé. Tu as peur d'être recalé ? Tu espères donc être reçu. Vous avez peur de tomber malade ? Vous espérez donc rester en bonne santé. Vous espérez rester en bonne santé ? Vous avez donc peur de tomber malade... L'espérance et la crainte ne sont pas deux contraires, mais plutôt les deux faces d'une même médaille : on n'a jamais l'une sans l'autre. Le contraire d'espérer, ce n'est pas craindre ; le contraire d'espérer, c'est savoir, pouvoir et jouir.

C'est aussi ce qu'on appelle le bonheur, qui n'existe qu'au présent (non plus le bonheur manqué, mais le bonheur en acte).

---

1. *Éthique*, III, scolie de la prop. 50, et explication des définitions 12 et 13 des affections.

C'est aussi ce qu'on appelle l'amour, qui ne porte que sur le réel.

C'est la croisée des chemins. Le désir est l'essence même de l'homme ; mais il y a trois façons principales de désirer, trois occurrences principales du désir : l'amour, la volonté, l'espérance.

Quelle différence y a-t-il entre l'espérance et la volonté ? Il y a désir dans les deux cas. Mais l'espérance, on l'a vu, est un désir qui porte sur ce qui ne dépend pas de nous ; la volonté, un désir qui porte sur ce qui en dépend.

Quelle différence y a-t-il maintenant entre l'espérance et l'amour ? Dans les deux cas, il y a désir. Mais l'espérance est un désir qui porte sur l'irréel ; l'amour, un désir qui porte sur le réel. On pourrait m'objecter que, lorsque l'enfant espère son jouet, celui-ci est bien réel... Oui, dans le magasin, derrière la vitrine. Mais ce que le gamin espère, ce n'est pas le jouet dans le magasin : c'est le jouet chez lui, la possession du jouet, et cela n'est pas, c'est irréel. On n'espère que ce qui n'est pas ; on n'aime que ce qui est.

III – Le bonheur désespérément : une sagesse du désespoir, du bonheur et de l'amour

Ce que nous savons, c'est que le bonheur est désespérant. Freud écrit quelque part, en reprenant une formule de Goethe je crois, qu'il n'y a rien de plus difficile à supporter qu'une succession ininterrompue de trois très beaux jours... Peut-être, pour tous ceux qui ne savent vivre que d'espérance : trois beaux jours qui se suivent, c'est difficile, parce que cela ne laisse plus grand-chose à espérer... C'est le stress du normalien, pendant l'année qui suit l'agrégation. Les études sont longues, difficiles, on se disait depuis des années : « Qu'est-ce que je serai heureux lorsque ça sera fini, lorsque j'aurai l'*agreg* ! » Et tout d'un coup vous y voilà, vous êtes agrégé, et l'on vous offre une quatrième année à la rue d'Ulm, pour profiter de la vie ou commencer une thèse... Qu'espérer de plus ou de mieux ? Rien. C'est le moment de la vie le plus facile, le plus heureux, ou qui devrait l'être... Mais la réalité est bien différente : c'est le moment où le normalien déprime et se dit qu'il serait temps, peut-être, de philosopher pour de bon... Du moins certains. Il y en a d'autres qui espèrent déjà un poste de maître de conférences, ou qui préparent le concours de l'ENA... On a les divertissements que l'on mérite.

Donc, ce que nous savons, c'est que le bonheur est désespérant ; ce que j'essaie de penser, c'est que le désespoir puisse être joyeux : que le bonheur soit désespéré et le désespoir heureux ! C'est dire que le désespoir, au sens où je le prends, n'est pas l'extrême du malheur ou l'accablement dépressif du suicidaire. C'est plutôt l'inverse : je prends le mot en un sens littéral, quasi étymologique, pour désigner le degré zéro de l'espérance, la pure et simple *absence d'espoir*. On pourrait l'appeler aussi *inespoir*... Mais je n'apprécie pas beaucoup les néologismes, et puis ce terme d'*inespoir* donnerait l'impression fausse de la facilité, comme si l'on devenait sage du jour au lendemain, comme s'il suffisait de le décider, comme si l'on pouvait s'installer dans la sagesse comme dans un fauteuil... Le mot de *désespoir*, dans sa dureté, dans sa lumière sombre, exprime mieux la difficulté du chemin. Il suppose un travail, au sens où Freud parle de *travail du deuil*, et au fond c'est le même. L'espoir est premier ; il faut donc le perdre et c'est presque toujours douloureux. J'aime, dans ce mot de *désespoir*, qu'on entende un peu de cette douleur-là, de ce travail-là, de cette difficulté-là. Un *effort*, disait Spinoza, pour nous rendre moins dépendants de l'espoir... Donc le désespoir, au sens où je le prends, ce n'est pas la tristesse, encore moins le nihilisme, le renoncement ou la résignation : c'est plutôt ce que j'appellerais volontiers un *gai désespoir*, un peu au sens où Nietzsche parlait d'un *gai savoir*. Ce serait le désespoir du sage : ce serait la sagesse du désespoir.

Pourquoi ? Parce que le sage (le sage que je ne suis pas, faut-il le préciser, et que sans doute personne ici ne prétend être ; mais comme disaient les stoïciens, si tu veux avancer, il faut savoir où tu vas ; disons que la sagesse est le but que nous nous fixons, comme une idée régulatrice, pour tenter d'avancer...), le sage, disais-je, n'a plus rien à attendre ni à espérer. Parce qu'il est pleinement heureux, rien ne lui manque. Et parce que rien ne lui manque, il est pleinement heureux.

J'évoquais la formule de Spinoza, dans l'*Éthique* : « *Il n'y a pas d'espoir sans crainte, ni de crainte sans espoir.* » C'est ainsi, pour moi, que tout a commencé, je veux dire tous ces livres, tout ce travail, tout ce cheminement... C'était peu de temps après l'agrégation, un ou deux ans peut-être : un matin je me réveille avec dans la tête cette phrase de Spinoza... Je la connaissais très bien, je l'avais souvent citée ou commentée, mais sans en saisir toute la portée. Puis tout d'un coup, au réveil, cette évidence : s'il n'y a pas d'espoir sans crainte ni de crainte sans espoir, il faut en conclure que le sage, selon Spinoza, *n'espère rien*. La sagesse, c'est la sérénité, l'absence de crainte... Puisqu'il n'y a pas d'espoir sans crainte, si le sage est sans crainte, c'est qu'il est sans espoir. Est-ce que cela veut dire que le sage, chez Spinoza, est *désespéré* ? L'idée me parut à la fois inquiétante et belle. Je repris l'*Éthique*... Et découvris d'abord, bien sûr, que ce n'est pas le mot qu'utilise Spinoza. *Desperatio*, dans l'*Éthique*[1], c'est plutôt ce que j'appellerais la déception

---

1. *Éthique*, III, deuxième scolie de la prop. 18, et définition 15 des

ou l'abattement. On est désespéré, explique Spinoza, quand on passe de la crainte (toujours mêlée de doute et d'espoir) à la certitude que ce qu'on redoutait s'est produit ou se produira nécessairement, autrement dit quand il n'y a plus lieu de douter ni donc d'espérer. Ce n'est pas en ce sens, on l'a compris, que je prends le mot « désespoir ». Ce n'est donc pas un *mot* que j'emprunte à Spinoza, mais une certaine idée, mais un certain chemin. Quel chemin ? Celui de la désillusion, de la lucidité, de la connaissance, celui qui doit « nous rendre moins dépendants de l'espoir et nous affranchir de la crainte[1] ». Quelle idée ? Celle de béatitude : le bonheur de celui qui n'a plus rien à espérer. Parce qu'il est perdu ? Non : parce qu'il n'a plus rien à perdre, parce qu'il est sauvé, ici et maintenant sauvé. Dans cette vie-ci. Dans ce monde-ci. Parce que la vérité lui suffit et le comble. Il est sans crainte comme il est sans espoir. C'est ce que signifiait le titre de mon premier livre : *Traité du désespoir et de la béatitude*... Je voulais montrer que le désespoir et la béatitude ne sont pas deux contraires, entre lesquels il faudrait choisir, mais plutôt, là encore, comme les deux faces d'une même médaille, ou comme deux points de vue – *sub specie temporis, sub specie aeternitatis* : du point de vue du temps, du point de vue de l'éternité – sur une même existence, qui est celle du sage, qui serait la nôtre si nous savions la vivre et la penser en vérité.

Il se trouve que quelques années après la publication de ce premier livre, feuilletant Chamfort, je suis tombé sur une idée que je croyais bien avoir inventée : « L'espérance n'est qu'un charlatan qui nous trompe sans cesse ; et, pour moi, le bonheur n'a commencé que lorsque je l'ai eu perdue. » Cela, je savais bien que je ne l'avais pas inventé. Mais Chamfort continue : « Je

affections. Voir aussi *Court traité*, II, chap. IX, § 3, ainsi que ce que j'écrivais dans *Le Mythe d'Icare*, p. 28.
1. *Éthique*, IV, scolie de la prop. 47.

mettrais volontiers sur la porte du paradis, le vers que Dante a mis sur celle de l'enfer : *Vous qui entrez ici, laissez toute espérance*[1]. » J'écrivais la même chose, presque mot pour mot, dans *Le Mythe d'Icare*. Que voulais-je dire ? Que voulait dire Chamfort ? Que mettre cette phrase sur la porte de l'enfer est vain. Comment voulez-vous que les damnés n'espèrent pas ? Ils souffrent trop ! Ils espèrent forcément quelque chose, que cela s'arrête, peut-être un sursaut de miséricorde divine, ou simplement qu'ils vont s'habituer et qu'ils souffriront un peu moins... En enfer, il est à peu près impossible de ne pas espérer. C'est au contraire le bienheureux, dans son paradis, qui ne peut plus rien espérer – puisqu'il a tout. Saint Augustin et saint Thomas l'ont écrit explicitement : dans le Royaume, il n'y aura plus d'espérance, puisqu'il n'y aura plus rien à espérer ; il n'y aura plus de foi, puisque nous connaîtrons Dieu ; il n'y aura plus que la vérité et l'amour. Du point de vue de l'athée que je suis, il faut simplement ajouter que, le Royaume (l'enfer et le paradis : l'unité des deux !), nous y sommes déjà, c'est ici et maintenant. Il s'agit d'habiter cet univers qui est le nôtre, ou plutôt qui nous contient, où rien n'est à croire, puisque tout est à connaître, où rien n'est à espérer, puisque tout est à faire ou à aimer.

Je pourrais multiplier les citations et les références. J'étais en train de terminer le deuxième tome de mon traité, quand je suis tombé, feuilletant un livre de Mircea Eliade, sur une citation du *Sâmkhya-Sûtra*, citant lui-même le *Mahâbhârata*, le livre immémorial de la spiritualité indienne : « *Seul est heureux celui qui a*

---

1. *Maximes, pensées, caractères et anecdotes*, II, 93, pp. 71-72 de l'éd. J. Dagen, G.-F., 1968. La phrase de Dante est bien sûr extraite de *La divine comédie* (*L'enfer*, III, 9). Je la détournais de la même façon (sans avoir lu Chamfort) dans *Le mythe d'Icare*, p. 22. De Chamfort, voir aussi la belle maxime 339, p. 127 (« L'honnête homme, détrompé de toutes les illusions, est l'homme par excellence... Il doit être plus gai qu'un autre... »).

perdu tout espoir ; car l'espoir est la plus grande torture qui soit, et le désespoir le plus grand bonheur[1].» Et j'étais en train de terminer un livre qui s'appelait *Traité du désespoir et de la béatitude*, dans lequel, à ma façon laborieuse, celle d'un intellectuel occidental, j'essayais d'exprimer à peu près – en quelque six cents pages – cette idée dont le *Mahâbhârata*, en trois lignes, m'offrait le résumé exact ! Ce fut une grande émotion et une grande joie. J'ai toujours dit à mes étudiants : si vous pensez avoir une idée que personne n'a jamais eue, il y a tout lieu de craindre qu'il ne s'agisse d'une sottise. À l'inverse, trouver une de ses propres idées chez un bon auteur du passé est toujours rassurant.

Depuis la publication de ce premier livre, des amis et des lecteurs ont eu la gentillesse de m'envoyer, au hasard de leurs lectures, telle ou telle référence, qui rejoignait mon propos. C'est ainsi que j'ai découvert Svâmi Prajnânpad[2], Etty Hillesum[3], Mélanie Klein («lorsque le désespoir est à son comble, l'amour se fait jour... »)[4], ou simplement collectionné un certain nombre de citations. Par exemple celle-ci, du philosophe géorgien Merab Mamardachvili : «Toute ma vie j'ai vécu sans espoir. Si l'on a franchi le point limite du désespoir, alors désormais devant soi s'ouvre une plaine sereine, je dirais même joyeuse. » Ou cette autre, que mon ami Michel Piquemal vient de m'envoyer par fax,

---

1. *Sâmkhya-Sûtra*, IV, 11 (la deuxième partie de la phrase est une citation du *Mahâbhârata*), cité par Mircea Eliade, *Le Yoga*, Payot, 1972, chap. I («Les doctrines yoga »), rééd. 1983, p. 40. Voir à ce propos ce que j'écrivais dans *Vivre*, pp. 291-292.
2. Je m'en suis expliqué dans le petit livre que je lui ai consacré : *De l'autre côté du désespoir* (*Introduction à la pensée de Svâmi Prajnânpad*), Éditions Accarias-L'Originel, Paris, 1997.
3. Etty Hillesum, *Une vie bouleversée*, Journal, trad. franç., Seuil, 1985. Voir aussi ce que j'en disais dans *De l'autre côté du désespoir*, pp. 107 à 112.
4. M. Klein, *Essais de psychanalyse*, p. 328 (trad. franç., Payot, 1982, p. 359).

qu'il emprunte à un auteur que pourtant je connais bien – il s'agit de Jules Renard, dans son *Journal* –, mais dont j'avais oublié (j'ai retrouvé le passage dans mon exemplaire : il est souligné en rouge, avec un point d'exclamation dans la marge...) la formule suivante : « Je ne désire rien du passé. Je ne compte plus sur l'avenir. Le présent me suffit. Je suis un homme heureux, car j'ai renoncé au bonheur[1]. » Renoncer au bonheur ? C'est la seule façon de le vivre : en cessant de l'espérer !

Bref, l'idée centrale de mon traité, c'était que le désespoir et la béatitude peuvent et doivent aller ensemble – que nous n'aurons de bonheur qu'à proportion du désespoir que nous serons capables de supporter, d'habiter, de traverser. Ce désespoir-là n'est pas le comble de la tristesse, ce n'est pas le désespoir du suicidaire (s'il se suicide, c'est qu'il espère mourir), c'est plutôt le *gai désespoir* de celui qui n'a plus rien à espérer parce qu'il a tout, parce que le présent lui suffit ou le comble. C'est le désespoir au sens où Gide disait joliment : « *Je voudrais mourir totalement désespéré.* » Cela ne signifiait pas qu'il voulait mourir dans la tristesse, mais qu'il voulait mourir dans un état où il n'aurait plus rien à espérer, ce qui serait la seule façon, en effet, de mourir heureux.

Parce qu'espérer, c'est désirer sans savoir, sans pouvoir, sans jouir, le sage n'espère rien. Non qu'il sache tout (personne ne sait tout), ni qu'il puisse tout (il n'est pas Dieu), ni même qu'il ne soit que plaisir (le sage, comme tout le monde, peut avoir mal aux dents), mais en ceci qu'il a cessé de désirer autre chose que ce qu'il sait, ou que ce qu'il peut, ou que ce dont il jouit. Il ne désire plus que le réel, dont il fait partie, et ce désir, toujours satisfait – puisque le réel, par définition, ne manque jamais : le réel ne fait jamais défaut –, ce désir donc, toujours satisfait, est alors une joie pleine, qui ne

---

1. Jules Renard, *Journal*, 9 avril 1895 (Édition 10-18, 1984, tome I, p. 265).

manque de rien. C'est ce qu'on appelle le bonheur. C'est aussi ce qu'on appelle l'amour.

Qu'est-ce, en effet, que l'amour ? J'évoquais, au début de mon exposé, la définition de Platon, selon laquelle l'amour est désir et le désir est manque. Terminons sur la définition de Spinoza. Ce dernier serait d'accord avec Platon pour dire que l'amour est désir ; mais assurément pas pour dire que le désir est manque. Pour Spinoza, le désir n'est pas manque, le désir est puissance : puissance d'exister, puissance d'agir, puissance de jouir et de se réjouir[1]. Puissance, donc, par exemple au sens où l'on parle de la *puissance sexuelle*, mais pas seulement. Sexuellement, ce n'est certes pas la même chose d'être frustré et d'être puissant. Mais pas la même chose non plus de manquer de nourriture (souffrir de la faim) et d'avoir la puissance de jouir de ce qu'on mange (manger de bon appétit). Au fond, être platonicien, c'est réduire l'appétit (la puissance de jouir de ce qu'on fait) à la faim (au manque de ce qu'on n'a pas) : c'est n'avoir envie de manger que lorsqu'on a faim, voire, à la limite, que lorsque la nourriture n'est pas là, c'est n'avoir envie de faire l'amour que lorsqu'on est en manque, voire, à la limite, que lorsqu'on est seul... Une philosophie pour temps de disette, si vous voulez... Mais, par temps de disette, il y a sans doute mieux à faire que de la philosophie. Le désir selon Spinoza, ce serait plutôt cette force en nous qui nous permet de manger de bon appétit, d'agir de bon appétit, d'aimer de bon appétit[2]. Cela n'empêche pas le sage d'avoir faim, parfois ou souvent ; mais redouble son plaisir, lorsqu'il mange. La faim est un manque, une

---

1. Voir *Éthique*, III, prop. 6 à 13, avec les démonstrations et scolies.
2. Sur la notion d'*appétit* chez Spinoza, voir *Éthique*, III, scolie de la prop. 9. L'appétit est le *conatus* humain (l'effort de tout homme pour persévérer dans son être) en tant qu'il « se rapporte à la fois à l'âme et au corps », par quoi il n'est « rien d'autre que l'essence même de l'homme » (« il n'y a nulle différence entre l'appétit et le désir, sinon que le désir se rapporte généralement aux hommes en tant qu'ils ont conscience de leurs appétits »).

souffrance, une faiblesse, un malheur ; l'appétit, une puissance et un bonheur. C'est ce qu'a perdu l'anorexique, le peine-à-jouir, le déprimé, celui qui ne sait plus jouir de ce qu'il mange, de ce qu'il fait, de ce qui est. Ce n'est pas le manque qui lui manque ; c'est la puissance de jouir de ce qui ne manque pas.

L'amour est désir, mais le désir n'est pas manque. Le désir est puissance : puissance de jouir et jouissance en puissance !

Quant à l'amour, lui non plus n'est pas manque (puisqu'il est désir et puisque le désir est puissance) : l'amour est joie. C'est une définition qu'on trouve dans le livre III de l'*Éthique* : *L'amour est une joie qu'accompagne l'idée de sa cause*[1]. C'est une définition de philosophe, abstraite comme il convient, mais essayons de la comprendre. Qu'est-ce que cela veut dire ? Ceci, qu'on trouvait déjà chez Aristote : « Aimer, c'est se réjouir[2] », ou plus exactement (puisqu'il y faut l'idée d'une cause) *se réjouir de*. Un exemple ? Imaginez que quelqu'un vous dise, ce soir, tout à l'heure : « Je suis joyeux à l'idée que tu existes. » Ou bien : « Il y a une joie en moi ; et la cause de ma joie, c'est l'idée que tu existes. » Ou encore, plus simplement : « Quand je pense que tu existes, cela me rend joyeux... » Vous prendrez cela pour une déclaration d'amour, et vous aurez évidemment raison. Mais vous aurez aussi beaucoup de chance. D'abord parce que c'est une déclaration *spinoziste* d'amour, ce qui n'arrive pas tous les jours (beaucoup de gens sont morts sans avoir

---

1. Voir *Éthique*, III, scolie de la prop. 13, et définition 6 des affections. Je maintiens ici l'énoncé de cette définition telle qu'elle m'est venue à l'oral, lequel énoncé n'est pas exactement identique à celui de Spinoza : j'aurai l'occasion de m'en expliquer dans le débat qui suit cette conférence.

2. Aristote, *Éthique à Eudème*, VII, 2, 1237 a 37-40 (trad. V. Décarie, Vrin-Presses de l'Université de Montréal, Paris-Montréal 1984, p. 162). Sur cette pensée de l'amour, que je ne peux ici qu'esquisser, voir mon *Petit traité des grandes vertus*, PUF, 1995, chap. 18, pp. 291 à 385.

entendu ça ; profitez-en bien !). Ensuite, et surtout, parce que c'est une déclaration d'amour *qui ne vous demande rien*. Et ça, c'est proprement exceptionnel. Vous allez m'objecter : « Mais quand on dit *"Je t'aime"*, on ne demande rien non plus... » Si. Et pas seulement que l'autre réponde « Moi aussi ». Ou plutôt tout dépend de quel type d'amour on fait état. Si l'amour que vous déclarez est manque (comme chez Platon, mais la question n'est pas d'être platonicien ou pas, en termes de doctrine, la question est d'être ou non chez Platon ; je n'ai jamais été platonicien mais je vis très souvent chez Platon, comme tout le monde : chaque fois qu'on aime ce qui manque, on est chez Platon), lorsque vous dites « *Je t'aime* », cela signifie « *Tu me manques* » et donc « *Je te veux* » (« *Te quiero* », comme disent les Espagnols : je t'aime, je te veux, c'est le même mot). C'est donc bien demander quelque chose, c'est même *tout* demander puisque c'est demander quelqu'un, puisque c'est demander la personne elle-même ! « Je t'aime : je veux que tu sois à moi. » Alors que dire « *Je suis joyeux à l'idée que tu existes* », c'est ne rien demander du tout : c'est faire état d'une joie, autrement dit d'un amour, qui peut certes aller avec un désir d'union ou de possession, mais qui ne saurait s'y réduire[1]. Tout dépend de quel type d'amour on fait preuve, pour quel type d'objet. C'est où résident, explique Spinoza, « toute notre félicité et toute notre misère[2] ».

Imaginez, mesdames (puisque cela se passe ordinairement dans ce sens, mais si les dames veulent s'y mettre ce n'est pas moi qui le leur reprocherai), imaginez qu'un homme vous aborde dans la rue, ce soir ou

1. Voir *Éthique*, III, explication de la définition 6 des affections.
2. *Traité de la réforme de l'entendement*, § 3 (éd. Appuhn, G-F, p. 183) ou 9 (éd. Caillois, Pléiade, p. 161). Voir aussi *Court traité*, II, 5 (trad. Appuhn, tome I, pp. 99 à 102). Chez Spinoza, remarque Pierre-François Moreau, « *nous ne vivons que par l'amour* » (*Spinoza, L'expérience et l'éternité*, PUF, 1994, p. 177).

demain, en vous disant : « Madame, mademoiselle, je suis heureux à l'idée que vous existez ! » Comme il n'est pas exclu qu'il emprunte cette idée à ma conférence, il faut tout de même que je vous donne quelques éléments de réponse, dont vous ferez ce que vous voudrez... Que pourriez-vous lui répondre ? Par exemple ceci :

— Mon cher monsieur, cela me fait plaisir. Vous êtes joyeux à l'idée que j'existe ; or, vous le voyez, j'existe en effet, donc tout va bien. Bonsoir, monsieur !

Sans doute va-t-il essayer de vous retenir :

— Attendez, ne partez pas : je veux que vous soyez à moi !

— Alors là, mon pauvre monsieur, c'est tout à fait autre chose. Relisez Spinoza : « L'amour est une joie qu'accompagne l'idée de sa cause ». Vous êtes d'accord ?

— Oui...

— Mais alors, qu'est-ce qui vous rend joyeux ? Est-ce que ce qui vous rend joyeux, c'est l'idée que j'existe, comme je l'avais compris d'abord ? Auquel cas je vous accorde que vous m'aimez, je m'en réjouis et je vous dis bonsoir. Ou bien est-ce que ce qui vous rend joyeux, c'est l'idée que je sois à vous, comme je crains de le comprendre maintenant ? Auquel cas, ce que vous aimez, ce n'est pas moi, c'est la possession de moi, ce qui signifie, mon pauvre monsieur, que vous n'aimez que vous. Cela ne m'intéresse pas du tout !

Vous l'aurez sans doute déstabilisé. Il va se mettre à bafouiller, à bredouiller, à vous dire par exemple :

— Je ne sais plus... Je suis amoureux, quoi !

— C'est bien ce que je me tue à vous expliquer ! Vous êtes amoureux, vous êtes chez Platon, vous ne désirez que ce que vous n'avez pas : je vous manque, vous voulez me posséder. Mais imaginez que je satisfasse à vos avances... À force d'être à vous, d'être là tous les soirs, tous les matins, je vous manquerai forcément de moins en moins, puis moins qu'une autre ou moins que la solitude. Nous avons suffisamment vécu, vous et moi, pour savoir comment cela se passe... Est-ce que vous voulez vraiment qu'on recommence cette histoire, une fois encore ? Moi, cela ne m'intéresse plus... À moins... À moins que vous soyez capable d'aimer autrement, d'être spinoziste, au moins parfois, ou de vivre un peu chez Spinoza, je veux dire d'aimer ce qui ne vous manque pas, de vous réjouir de ce qui est. Dans ce cas, cela pourrait m'intéresser. Réfléchissez-y. Voici mon numéro de téléphone. »

Il n'y a pas d'amour heureux, ni de bonheur sans amour. Pas d'amour heureux, tant qu'il manque de son objet. Pas de bonheur sans amour, tant qu'il s'en réjouit.

Il y a une chose que le manque n'explique pas, que le platonisme n'explique pas : c'est qu'il y ait des couples heureux, parfois, c'est qu'il y ait un amour qui ne soit pas de manque mais de joie, pas de frustration mais de plaisir, pas d'ennui mais de douceur, pas d'illusion mais de vérité, d'intimité, de confiance, de désir, de sensualité, de gratitude, d'humour, de bonheur... « *Je t'aime*, se disent-ils l'un à l'autre : *je suis joyeux que tu existes, joyeux que tu m'aimes, joyeux de partager ton lit, ton bonheur, ta vie.* » Tout couple heureux est une récusation du platonisme. Ce m'est une raison supplémentaire d'aimer les couples, quand ils sont heureux, et de me méfier du platonisme.

Mais l'amour va au-delà du couple, au-delà même de la famille. « L'amitié mène sa danse autour du monde, écrivait Épicure, nous enjoignant à tous de nous réveiller pour la vie heureuse [1]. » Il n'est sagesse que de joie ; il n'est joie que d'aimer. C'est l'esprit du spinozisme, mais aussi de toute sagesse vraie. Même chez Platon ou Socrate, à fortiori chez Aristote ou Épicure, les moments de sagesse sont de ce côté-là. Du côté de la joie, du côté de l'amour. Se réjouir de ce qui est, plutôt que s'attrister (ou ne se réjouir que de façon incons-

---

1. *Sentence vaticane*, 52.

tante) de ce qui n'est pas. Aimer, plutôt qu'espérer ou craindre.

La béatitude, pour reprendre le mot de Spinoza, est cet amour inespéré et vrai – éternel donc : la vérité l'est toujours – du réel que je connais. C'est l'amour vrai du vrai.

En conclusion, je rappellerai simplement que le contraire d'espérer, ce n'est pas craindre, mais savoir, pouvoir et jouir. En un mot, ou plutôt en trois, le contraire d'espérer, c'est connaître, agir et aimer. C'est le seul bonheur qui ne soit pas manqué. Non pas le désir de ce qu'on n'a pas, ou qui n'est pas (le manque, l'espérance, la nostalgie), mais la connaissance de ce qui est, la volonté de ce qu'on peut, enfin l'amour de ce qui passe et qu'on n'a même plus besoin, dès lors, de posséder. Plus le manque mais la puissance, plus l'espérance mais la confiance et le courage, plus la nostalgie mais la fidélité et la gratitude[1].

On n'espère que ce qui ne dépend pas de nous ; on ne veut que ce qui en dépend. On n'espère que ce qui n'est pas ; on n'aime que ce qui est. Ce qu'il s'agit d'opérer, c'est donc une conversion du désir : là où spontanément, comme l'enfant avant Noël, nous ne savons désirer que ce qui nous manque, que ce qui ne dépend pas de nous, il s'agit au contraire d'apprendre à désirer ce qui dépend de nous (c'est-à-dire d'apprendre à vouloir et à agir), il s'agit d'apprendre à désirer ce qui est (c'est-à-dire à aimer) plutôt que désirer toujours ce qui n'est pas (espérer ou regretter).

Non qu'il faille, en sortant de cette conférence, vous interdire d'espérer ! Surtout pas ! Vous ne pouvez pas vous amputer vivant de l'espérance. Pourquoi ? Parce

---

1. Sur ces différentes notions, que je ne peux ici que désigner au passage, voir *Vivre*, pp. 214-224, ainsi que les chapitres 2, 5, 10 et 18 du *Petit traité des grandes vertus*.

que dès qu'il y a désir et ignorance, désir et impuissance, désir et manque, il y a inévitablement espérance. Dès que l'on désire ce qu'on ne sait pas, ce qui ne dépend pas de nous, ce qu'on n'a pas, l'espérance est là, toujours. Il ne s'agit pas de s'interdire d'espérer : il s'agit d'apprendre à penser, à vouloir et à aimer ! « *Le sage est sage*, écrivait Alain, *non par moins de folie, mais par plus de sagesse.* » N'essayez pas de vous amputer de votre part de folie, d'espérance, donc d'angoisse et de crainte. Apprenez plutôt à développer votre part de sagesse, de *puissance*, comme dirait Spinoza, autrement dit de connaissance, d'action et d'amour. Ne vous interdisez pas d'espérer : apprenez à penser, apprenez à vouloir un peu plus et à aimer un peu mieux.

Je dirais volontiers : la sagesse n'existe pas. Il n'y a que des sages, et ils sont tous différents, et aucun d'entre eux ne croit à la sagesse. La sagesse n'est qu'un idéal, et aucun idéal n'existe. Ce n'est qu'un mot, et aucun mot ne contient le réel. Si vous sortez d'ici en vous disant « *Qu'est-ce que je serais heureux si j'étais sage !* », c'est que j'aurai raté mon coup. Ne faites pas de la sagesse un nouvel objet d'espérance, un de plus, ce qui reviendrait à espérer absurdement le désespoir. Si tu veux avancer, disaient les stoïciens, tu dois savoir où tu vas. Oui. Mais l'important est d'avancer. La sagesse n'est qu'un horizon, que nous n'atteindrons jamais absolument, et qui nous contient pourtant : nous avons nos moments de sagesse comme nous avons nos moments de folie. Le bonheur n'est pas un absolu, c'est un processus, un mouvement, un équilibre mais instable (on est *plus ou moins* heureux), une victoire mais toujours fragile, toujours à défendre, toujours à continuer ou à recommencer. Ne rêvons pas la sagesse : cessons plutôt de rêver notre vie !

Il ne s'agit pas de s'interdire d'espérer, ni d'espérer le désespoir. Il s'agit, dans l'ordre théorique, de croire un peu moins et de connaître un peu plus ; dans l'ordre pratique, politique ou éthique, il s'agit d'espérer un peu moins et d'agir un peu plus ; enfin, dans l'ordre affectif ou spirituel, il s'agit d'espérer un peu moins et d'aimer un peu plus.

Je vous remercie pour votre attention.

Questions à André Comte-Sponville

(Afin de faciliter la lecture du débat, les différents intervenants ont été désignés par des lettres de l'alphabet.)

A – *Il y a un facteur, celui du temps, qui mériterait, à mon sens, un développement supplémentaire. Pourquoi ? On peut craindre que l'amour que vous avez proposé puisse être passif ou immobile. La sagesse, le bouddhisme par exemple, consiste en la contemplation pure et le retrait qui peuvent permettre le bonheur. Mais notre conception occidentale, elle, suppose toujours la création de quelque chose. Donc, les facteurs du temps et de la création peuvent-ils apporter quelque chose à ce bonheur ?*

Il ne faut pas caricaturer le bouddhisme. On y voit souvent l'apologie de l'immobilité, du retrait, de la passivité, de l'inaction, pour ne pas dire de la paresse. Qui peut croire un instant que les immenses civilisations qu'il a irriguées ont été fondées sur la passivité, l'immobilité ou l'inaction ?

Quant au temps, ce n'était pas mon sujet. Mais mon idée est que le temps c'est – et ce n'est que – le présent. Dans *L'Être-Temps*[1], je m'appuie sur les analyses de

---

1. PUF, 1999.

saint Augustin, pour tirer des conclusions qui vont à l'opposé des siennes. Dans les *Confessions*, saint Augustin explique que le temps, en première approximation, c'est la succession du passé, du présent et de l'avenir. Mais le passé n'est pas, remarque saint Augustin, puisqu'il n'est plus ; l'avenir n'est pas, puisqu'il n'est pas encore. Donc il ne reste que le présent... Mais, si le présent restait présent, il ne serait pas du temps : il serait l'éternité. « Si bien que ce qui nous autorise à affirmer que le temps est, conclut saint Augustin, c'est qu'il tend à n'être plus [1]. » Je dis, au contraire, que si le présent reste présent, le temps et l'éternité sont une seule et même chose : nous y sommes. On pourrait m'objecter que le début de notre conférence maintenant est du passé... Oui ; mais quand j'ai commencé cette conférence, le présent était présent ; il l'était toujours quand j'ai terminé ma conférence ; et il l'est encore maintenant, pendant que je réponds à vos questions. Le présent reste présent, si bien que la seule chose qui nous autorise à affirmer que le temps est, c'est qu'il ne cesse de se maintenir. C'est ce que Spinoza appelle la *durée* : non la somme d'un passé et d'un avenir, qui n'ont d'existence qu'imaginaire, mais la continuation indéfinie d'une existence [2], autrement dit la perduration du présent. Nous avons partagé deux heures de présent : nous avons partagé deux heures d'éternité. Nous sommes déjà dans le Royaume, déjà sauvés. C'est pourquoi il n'y a rien de plus absurde que d'espérer l'éternité – puisque nous y sommes déjà.

Donc le temps, c'est le présent. Mais ne confondons pas le présent et l'immobilité ! Montrez-moi un mouvement que vous feriez dans le passé, un mouvement que vous feriez dans l'avenir... Essayez de lever le petit doigt dans l'avenir. Vous n'y arriverez pas : on ne peut bouger

1. *Confessions*, XI, 14 (trad. J. Trabucco, G-F, 1964, p. 264).
2. *Éthique*, II, définition 5. Voir aussi *L'Être-Temps*, pp. 90-91 et *passim*.

qu'au présent ! Loin que le présent nous voue à l'immobilité, je dis au contraire qu'il n'y a de mouvement
qu'au présent, parce que le présent est le seul lieu du
réel.

Est-ce à dire qu'il faille renoncer à l'avenir ? Bien
sûr que non ! Comment voudriez-vous que nous soyons
là, les uns et les autres, si nous n'avions pas *prévu* d'y
être ? Cette conférence est programmée depuis plusieurs mois ; elle est marquée sur nos agendas depuis
plusieurs semaines. Pour plusieurs d'entre nous, il a
fallu s'organiser à l'avance, téléphoner à des amis,
réserver des places, prévoir de faire garder les enfants...
C'était un projet, autrement dit une pensée volontaire
orientée vers l'avenir. La sagesse, ce n'est pas le
no future des punks ou des idiots ! Il ne s'agit pas
de vivre attaché « au piquet de l'instant », comme l'écrit
joliment Nietzsche de l'animal dans la deuxième des
Considérations intempestives. La chèvre attachée au
piquet de l'instant, ce n'est pas un idéal de sagesse ! Il
s'agit de vivre dans tout ce qui nous est donné, c'est-
à-dire au présent. Essayez de vivre une seconde de
passé : vous ne pouvez pas ! Vous pourriez me parler
de la madeleine de Proust, de la mémoire, des réminis-
cences... Mais la madeleine, c'est du présent, la
mémoire et la réminiscence c'est du présent. C'est toujours au présent qu'on se souvient. Si vous dites « je me
souvenais », au passé, c'est que vous avez oublié et que
vous ne vous souvenez plus. De même si vous dites
« j'espérerai, je projetterai, je programmerai... », au
futur, c'est que vous n'espérez pas, que vous ne projetez
pas, que vous ne programmez pas (ou que vous ne programmez, ici et maintenant, que votre intention de
programmer plus tard !). L'espérance, le projet,
le programme n'existent qu'au présent.

Seul le présent nous est donné. Mais, dans ce présent,
nous pouvons vivre un certain rapport au passé, un
rapport présent à ce qui ne l'est plus : la mémoire. Dans
ce présent, nous pouvons vivre un rapport actuel à

l'avenir : c'est ce qu'on appelle, selon les cas, l'espérance, la volonté, le projet, le programme, l'intention... Là, cela devient plus intéressant. Je disais : espérer c'est désirer sans jouir, sans savoir, sans pouvoir... Bien loin qu'il faille pour cela s'amputer de tout rapport à l'avenir, j'en conclus au contraire qu'il faut que notre rapport à l'avenir soit un rapport de jouissance, de savoir et de pouvoir.

Un rapport de savoir. Il y a des choses, concernant l'avenir, qu'on peut connaître. Il y a deux jours je savais que je serais ici aujourd'hui ; je sais aujourd'hui, au moins en partie, ce que je ferai demain ou après-demain... Pour la part qui dépend de nous, il y a des projets, des programmes, des intentions. Pour la part qui n'en dépend pas, il peut y avoir des prévisions rationnelles. La météorologie n'est pas une espérance. Si quelqu'un vous dit « Il va pleuvoir demain », cela ne veut pas dire qu'il l'espère. À l'inverse, celui qui vous dit qu'il espère qu'il fera beau dimanche prochain, cela ne veut pas dire qu'il le sait. L'optimisme ne tient pas lieu de compétence météorologique ! Tout le monde peut espérer que le chômage va baisser, que la reprise va s'accélérer, que la bourse va monter, etc. ; mais cela ne tient pas lieu de prévision économique. Donc on peut avoir avec l'avenir, non pas totalement mais partiellement, un rapport de connaissance. En astronomie, en matière d'éclipse, la connaissance est presque totale : on peut prédire une éclipse plusieurs siècles à l'avance.

Donc, connaître l'avenir, du moins en partie, ce n'est pas tout à fait impossible. Mais *pouvoir l'avenir* ? Je répondrai que toute action suppose une puissance orientée vers l'avenir. Pour que notre réunion se tienne, il a fallu que des gens y travaillent. C'était bien un rapport à l'avenir puisque cela fait trois mois qu'ils préparent cette réunion... Mais un rapport à l'avenir *en tant que l'avenir dépendait d'eux*, au présent. Au lieu de se contenter d'espérer que tout le monde fasse de la philosophie, ils ont voulu préparer quelque chose, organiser ces rencontres du lundi : c'est un rapport *actif* et *actuel* à l'avenir, c'est un projet, une volonté, un programme, ce n'est pas une espérance.

Concernant la politique, c'est encore plus clair. Gouverner, c'est prévoir. Militer, c'est imaginer. Il ne suffit pas d'espérer la justice, disais-je tout à l'heure : ce qui importe, c'est ce que l'on fait pour elle, et pour cela on a besoin de programmes, de projets, de contre-projets, d'imagination, de créativité... C'est aussi pour cette raison que nous avons besoin des partis politiques : pour préparer – à la fois ensemble et les uns contre les autres – l'avenir que nous voulons pour nous et pour nos enfants.

Enfin, vis-à-vis de l'avenir, on peut avoir un rapport de jouissance anticipée. Qui n'aime rêver à l'avance à ses vacances ? Qui n'aime songer à l'avance à une rencontre amoureuse ou érotique ? Je me souviens d'une affiche publicitaire, il y a quelques années, qui, pour vanter les mérites de je ne sais plus quel produit, montrait un homme en train de monter un escalier... La légende disait simplement : « Le produit X, c'est comme l'amour ; c'est aussi bon avant que pendant. » Et il est vrai que monter vers la femme ou l'homme que l'on aime et avec qui on va faire l'amour, c'est déjà un plaisir. C'est une jouissance anticipée de l'avenir. Du moins quand la confiance est là. Car celui qui monte en se disant « J'espère bander », son plaisir en est plutôt compromis. Espérer bander, ce n'est pas une érection. Bander, ce n'est pas une espérance. Tout homme qui a un peu vécu a connu les deux situations : monter en espérant bander (donc en craignant de ne pas...), ou bien monter joyeux, confiant, comme jouissant déjà, fantasmatiquement, du plaisir annoncé. Dans les deux cas, il y a un rapport à l'avenir. Mais, dans un cas, c'est un rapport d'espérance ou d'impuissance, c'est le cas de le dire, et dans l'autre un rapport de puissance, autrement dit de confiance ou de joie.

Il ne s'agit pas de vivre dans l'instant : il s'agit de vivre *au présent*, on n'a pas le choix, mais *dans un présent qui dure*, qui inclut un rapport présent au passé (la mémoire, la fidélité, la gratitude) et un rapport présent à l'avenir (le projet, le programme, la prévision, la confiance, le fantasme, l'imagination, l'utopie, si vous voulez, à condition de ne pas prendre vos rêves pour la réalité). La sagesse n'est ni amnésie ni aboulie. Cesser d'espérer, ou espérer moins, ce n'est pas cesser de se souvenir ni renoncer à imaginer et à vouloir !

B – Je vous remercie de la clarté de votre conférence qui redonne le goût de philosopher – ce qui était moins le cas en lisant Heidegger. Je voulais aborder le rapport entre la souffrance et la philosophie, car je crois qu'elles sont tout de même très liées. La souffrance dans un service de cancérologie n'exclut pas la philosophie, bien au contraire ! Est-ce une lacune de notre philosophie occidentale que de ne pas laisser de place à cet aspect ?

C'est parce que nous souffrons que nous philosophons ; parce que nous sommes pleins d'angoisses, de frayeurs, de tristesses, d'espérances insatisfaites, etc. « *Tout est souffrance* » : c'est la première vérité du bouddhisme, et c'est pour cela que nous avons besoin de philosopher. Je n'ai jamais dit que dans les services de cancérologie, dans la misère ou dans la guerre, on n'avait pas à philosopher. J'ai dit que, face à l'horreur – le cancer, la guerre, la misère... –, l'urgence n'était pas de philosopher. Dans un service de cancérologie, ou face à la barbarie, face à la guerre, à la misère, il faut d'abord soigner les gens, tenir, résister, combattre, etc. Mais le fait qu'il y ait *plus urgent* que la philosophie, dans telle ou telle situation, cela ne veut pas dire qu'il ne faut pas philosopher. Face au cancer, je préfère avoir un bon médecin qu'un bon philosophe. Face à la barbarie, je préfère avoir un bon fusil qu'une bonne philosophie.

Mais le bon fusil n'empêche pas d'avoir une bonne philosophie, ni ne saurait en tenir lieu !

C – Est-ce qu'il n'y a pas davantage de joie, malgré tout, dans l'espérance que dans le désespoir ?

Au sens usuel du mot *désespoir,* sans doute. Au sens où je le prends, ce n'est pas mon expérience. D'abord parce que les joies de l'espérance sont toujours inconstantes (puisque mêlées de crainte) et presque toujours fausses (puisque incapables, même si elles se réalisaient, de nous procurer le bonheur qu'elles semblent annoncer). Mais aussi parce que l'espérance est souvent douloureuse, à force d'être traversée par la peur même qui la suscite. Je me souviens des moments les plus malheureux que j'ai vécus : c'était des moments où j'étais mort de trouille, et donc livré pieds et poings liés à l'espérance et à la crainte. Celui dont l'enfant est gravement malade, comment n'espérerait-il pas qu'il va guérir ? Son espérance est beaucoup plus forte que celle des parents dont l'enfant est bien portant, qui se disent simplement « pourvu que ça dure » puis qui pensent à autre chose. Lui, non : il ne pense qu'à ça. « Pourvu qu'il guérisse, pourvu qu'il vive, pourvu qu'il ne reste pas handicapé ! » Son espérance est plus forte, son angoisse est plus forte, et le malheur l'étreint... La force d'une espérance n'est pas proportionnelle à sa probabilité. C'est plutôt l'inverse qui est vrai. On espère gagner au Loto davantage qu'on n'espère que le soleil va se lever demain. Et l'on espère que son enfant survivra, quand il est gravement malade, plus fortement que lorsqu'il est bien portant.

Donc, mes moments les plus malheureux furent tous des moments, indissociablement, d'angoisse et d'espérance : j'étais malade de l'avenir ! Même dans un deuil, le plus cruel c'est que cette absence atroce va durer, durer...

À l'opposé, je me souviens des moments les plus heureux que j'ai vécus : c'étaient des moments si parfaits ou si simples qu'ils ne laissaient rien à espérer, pas même leur continuation. D'ailleurs, dès qu'on se dit « Pourvu que ça dure », on a peur que cela s'arrête, et le bonheur n'a plus la transparence qu'il avait l'instant d'avant, quand on se contentait du présent...

Chacun son expérience. L'espérance, pour moi, a toujours eu un goût d'angoisse. Le bonheur, toujours un goût de désespoir. C'est ce que j'aime chez Haydn ou Mozart. « Le beau, disait Paul Valéry, c'est ce qui désespère. » Le bonheur aussi.

D – *Il faut aimer, certes, mais aimer qui ? Tout le monde ? Vous avez dit que la philosophie au XXe siècle a ignoré le bonheur ; mais pourquoi n'êtes-vous pas bouddhiste ?*

J'espère ne pas avoir dit (voyez : c'est un bon exemple d'espérance portant sur le passé...), j'espère ne pas avoir dit « *Il faut aimer !* » Parce qu'aimer, cela n'est pas un devoir, cela ne relève pas d'un commandement. L'amour est un sentiment, et un sentiment cela ne se commande pas ! C'est pourquoi la phrase « Tu dois aimer » est vide de sens, comme Kant le remarque [1], et la phrase « Il faut aimer » le serait tout autant.

J'essaie de réfléchir à ce qu'est le bonheur. Mon idée est que le contenu vrai du bonheur, c'est la joie. Ne croyez pas à une félicité permanente, continue, étale, perpétuelle... Ce n'est qu'un rêve. La vérité c'est qu'il y a des moments de joie : on peut appeler *bonheur*

---

1. Voir spécialement *Métaphysique des mœurs*, II, *Doctrine de la vertu*, Introduction, XII, c (trad. Philonenko, Vrin, 1968, pp. 73-74). Voir aussi *Critique de la raison pratique*, « Des mobiles de la raison pure pratique », trad. F. Picavet, PUF, 1971, pp. 86-87.

tout espace de temps où la joie paraît immédiatement possible. Non pas tout espace de temps où l'on *est* joyeux, car même lorsqu'on est heureux il y a des moments de fatigue, de tristesse, d'inquiétude ; mais toute durée où l'on a le sentiment que la joie peut être là d'un instant à l'autre. À l'inverse, le malheur c'est quand la joie paraît immédiatement impossible, lorsqu'on se dit qu'on ne pourrait être heureux que si quelque chose changeait dans l'ordre du monde : que si mon enfant n'était pas malade, que si ma femme n'était pas morte, que si je n'étais pas chômeur, etc. On est séparé du bonheur par un « *si* ».

Donc le contenu vrai du bonheur, c'est la joie au moins possible. Or toute joie a une cause : toute joie est amour. Quand on *se réjouit de*, c'est ce qu'on appelle l'amour. Pas forcément la passion amoureuse, pas le manque, pas l'amour qui prend, qui veut posséder, garder, mais l'amour qui se réjouit et partage. Les Grecs ne l'appelaient pas *éros* mais *philia*. Les Grecs plus tardifs – en réalité des Juifs qui parlaient grec pour se faire comprendre du monde – appelaient cela *agapè*, que les Latins traduiront par *caritas* et nous par *charité* : aimer non pas celui qui nous manque, mais celui qui ne manque pas, qui ne manque jamais (le prochain). La vraie objection qu'on pourrait me faire, ou qu'on pourrait faire à Spinoza, ce serait de trouver une joie sans amour. Mais comment serait-ce possible ? Un auteur du XXe siècle, pour lequel j'ai beaucoup d'admiration, écrit que la mélancolie se caractérise, entre autres choses, par « *la perte de la capacité d'aimer* ». Ce n'est pas Spinoza, ni Bouddha, ni Aristote, ni Épicure : c'est Sigmund Freud[1]. Aimer, c'est se réjouir ; ne plus pouvoir aimer, c'est tomber dans « une dépression profondément douloureuse, une suspension de l'intérêt pour le

_____

1. Dans « Deuil et mélancolie », *Métapsychologie*, trad. J. Laplanche – J.-B. Pontalis, Idées-Gallimard, 1976, pp. 148-149.

monde, l'inhibition de toute activité et la diminution du sentiment d'estime de soi[1]... » Donc ce n'est pas qu'il *faille* aimer, comme si l'amour était un devoir moral, mais que plus on aime, plus on est joyeux (puisque l'amour est une joie) et heureux (plus la joie paraît possible). Encore une fois, il n'est de sagesse vraie que dans l'amour, et par l'amour.

Aimer qui ? Évidemment, dans un premier mouvement, les gens qui sont aimables, ceux qui sont agréables, ceux qui nous font du bien. Commençons, c'est le plus facile, par ceux-là : nos amis, nos enfants, l'homme ou la femme que nous désirons, qui nous fait du bien... Si vous arrivez à aimer tous ceux-là, ce n'est déjà pas si mal. Mais d'évidence, plus il y aura de joie, mieux cela vaudra : plus il y aura d'amour, mieux cela vaudra ! C'est pourquoi, dans toutes les écoles de sagesse, est marquée au moins la direction d'un amour universel. Que nous en soyons incapables, j'en suis convaincu : le prochain n'est guère aimable, ou nous ne savons guère l'aimer. Ce que nous disent les maîtres, c'est qu'il faut commencer par aimer ceux qui sont aimables (nos amis), mais que la vérité vraie c'est que ce n'est pas parce que les gens sont aimables qu'il faut les aimer ; c'est au contraire parce que tu les aimes qu'ils sont, pour toi, aimables[2]. C'est où Jésus et Spinoza sont les plus proches : ce n'est pas la valeur de l'objet aimé qui gouverne ou justifie l'amour ; c'est l'amour qui donne de la valeur à son objet. Ce n'est pas parce que nous serions infiniment aimables que Dieu, dans le christianisme, nous aime infiniment ; c'est parce que Dieu nous aime que nous sommes aimables.

Vous savez que je ne crois pas en Dieu... Mais cela ne m'empêche pas de faire cette expérience de pensée : imaginer qu'il existe et comprendre pourquoi

---

1. *Ibid.*
2. Voir Spinoza, *Éthique*, III, scolies des propositions 9 et 39.

ou comment il pourrait nous aimer... Mais il y a des expériences plus simples, plus réelles. Pourquoi aimez-vous vos enfants tellement plus que ceux des autres ? Parce qu'ils sont plus aimables ? Non. C'est au contraire parce que vous les aimez davantage qu'ils sont, pour vous, plus aimables que les autres. L'amour crée la valeur, bien plus qu'il n'en dépend. Il faut dire aussi que, tant que nous n'aimons que quelques individus (nos enfants, nos meilleurs amis, parfois notre femme ou notre mari...), nous sommes morts de trouille : parce que nous avons peur de les perdre ! Mortels et amants de mortels. Le jour où vous aimerez n'importe qui, c'est-à-dire le prochain, vous serez libéré de l'angoisse parce que libéré de vous-même. Moi qui suis un anxieux, je suis bien placé pour savoir à quel point nous en sommes loin ; mais c'est clairement le chemin. Ce n'est pas qu'il *faille* aimer tout le monde, c'est que, s'il y avait un bonheur vrai, un bonheur libéré, détaché de soi, de la possession et donc de la peur de perdre, un bonheur sans angoisse, *sans appartenance*, comme dit Bobin, ce bonheur serait du côté de l'amour universel. Pas seulement l'amour des hommes, des femmes ; aussi bien l'amour du réel, d'un paysage, d'un tableau, d'une musique, l'amour d'un oiseau qui passe dans le ciel, l'amour de tout ce qui est, de tout ce qui ne manque pas. Je disais tout à l'heure : tout est présent, tout est là... Le paradoxe c'est que *tout*, pour nous, ce n'est pas assez : nous passons notre temps à désirer autre chose que ce qui est, c'est-à-dire, exactement, à désirer autre chose que tout ! Qu'est-ce d'autre qu'espérer ? Je sais bien que nous ne sommes pas le Bouddha, Jésus-Christ ou Spinoza... Il ne s'agit pas de décréter que nous allons aimer les oiseaux, l'univers et le prochain par-dessus le marché, avec sa sale gueule, ses mauvaises odeurs ou sa bêtise. Il s'agit d'avancer un peu : d'espérer un peu moins, d'agir et d'aimer un peu plus. Nous partons de tellement bas, les uns et les autres, que nous ne devrions pas avoir trop de mal à avancer au moins un peu.

Enfin, je ne suis pas bouddhiste et je ne vois pas pourquoi il faudrait l'être. Le Bouddha m'éclaire évidemment, et s'il fallait choisir une religion, le bouddhisme est sans doute celle dont je me sens le moins éloigné, pour toutes sortes de raisons dont la plus évidente est celle-ci : dans le bouddhisme, il n'y a pas de Dieu, ce qui, pour un athée, est tout de même plus commode ! Mais pourquoi faudrait-il choisir une religion ? Pourquoi ne pourrait-on se passer de toutes ? Je ne vais pas fonder un ashram en Auvergne ! En revanche, ce qui est vrai, c'est que cette sagesse du désespoir, que je viens d'évoquer, n'est pas sans rappeler certains thèmes que ceux qui connaissent le bouddhisme jugeront familiers. Par exemple cette anecdote, que l'on trouve dans les textes bouddhistes : un jour quelqu'un vient voir le Bouddha et lui demande : « Maître, comment se fait-il que tes disciples, qui sont si pauvres, qu'on voit toujours mendier quelques grains de riz, comment se fait-il qu'ils soient tellement joyeux ? » Le Bouddha répondit simplement : « Ils ne regrettent rien du passé, ils n'espèrent rien de l'avenir, c'est pourquoi ils sont tellement joyeux. » C'est une sagesse du désespoir, pas du tout une sagesse de la passivité. Ce n'est pas l'espérance qui fait agir ; c'est la compassion, l'amour et la volonté.

Je ne suis pas bouddhiste. Je m'intéresse aux sagesses orientales comme je m'intéresse aux sagesses occidentales. Et je suis frappé, malgré les différences doctrinales ou conceptuelles, par une certaine convergence, entre ces sagesses : il s'agit toujours de vivre au présent (non pas dans l'instant mais au présent), il s'agit de cesser de se raconter des histoires, de cesser de faire semblant, de cesser d'espérer, il s'agit d'apprendre à vivre pour de bon au lieu d'espérer vivre. Il s'agit de connaître, d'agir, d'aimer. Cette sagesse-là n'est ni d'Orient ni d'Occident, ou plutôt l'Orient et l'Occident ne sont que deux chemins différents qui y mènent.

*E – Vous partez du présupposé que le désir est le désir d'un objet. On est malheureux parce qu'on ne peut pas posséder tous les objets, les jouets, la vue, un travail, etc. La solution que vous proposez est de désirer ce qui est possible, ce qui dépend de nous, ce qu'on a sous la main. Est-ce que cela signifie qu'on doit prendre le monde tel qu'il est et qu'on doit s'en accommoder ? Première question. Or on peut aussi être malheureux parce qu'on en voit d'autres qui souffrent et cela peut engager des actions. Le désir n'est-il pas aussi une recherche de sens ? Deuxième question. Vous rendez hommage à Spinoza mais vous tronquez sa définition : vous dites l'amour est une joie qu'accompagne l'idée de sa cause. Or, pour Spinoza, dans l'*Éthique III, l'amour est une joie qu'accompagne l'idée d'une cause extérieure, et cet amour-là ne conduit pas à la béatitude. La cause extérieure est ce qui détermine quelqu'un à désirer quelque chose. Mais Spinoza définit l'amour comme compréhension des causes qui nous déterminent à agir et comme compréhension du monde. Troisième question : pourquoi n'en parlez-vous pas ?*

Vous avez bien sûr raison quant à la définition. Je l'ai citée bien souvent sous sa forme littérale : « L'amour est une joie qu'accompagne l'idée d'une cause extérieure[1]. » Je réalise en vous écoutant que j'ai dû dire aujourd'hui « qu'accompagne l'idée de sa cause ». C'est une expression que j'ai pu utiliser, comme cela m'arrive souvent, pour aller plus vite à l'essentiel. C'est d'abord qu'il s'agit d'une intervention orale, non d'un texte rédigé, d'une conférence et non d'un cours d'histoire

---

1. Voir par exemple *Le Mythe d'Icare*, p. 78, ou le *Petit traité des grandes vertus*, p. 329.

de la philosophie. Mais il y a sans doute autre chose. Si j'ai souvent tendance, oralement, à supprimer cette référence à une cause *extérieure*, c'est pour laisser sa place à l'amour de soi, ou à ce que Spinoza appelle le *contentement de soi*, qu'il définit comme « une joie née de ce que l'homme se considère lui-même et sa puissance d'agir[1] », autrement dit « une joie qu'accompagne l'idée d'une cause *intérieure*[2] ». Comment le sage, qui aime tout, ne s'aimerait-il pas aussi lui-même ? Voilà pourquoi il m'arrive de laisser de côté l'idée de cause extérieure, pour intégrer l'amour ou le contentement de soi à une définition générale de l'amour. Au demeurant, nous ne sommes pas ici pour faire de l'exégèse. Ce qui m'importe, c'est le débat philosophique : j'ai dit qu'il s'agit de tout aimer ; or tout – le réel, l'univers, la vérité – c'est ce qu'on ne peut pas posséder. C'est la différence que j'ai évoquée entre l'amour qui prend, qui veut posséder, *éros*, et l'amour qui se réjouit, partage, accueille, *philia*. L'enfant qui prend le sein, vous le lui retirez, il pleure, il est malheureux. Vous le lui rendez, il se calme. Cela fait des années, les uns et les autres, que nous cherchons notre sein. On voudrait un « bon objet », comme disent les psychanalystes, qu'on puisse posséder, qui nous comblerait, qui ferait qu'on ne manquerait plus de rien... Pas de chance : on est sevré, cette histoire est finie, terminée. Il est temps de grandir. Allons-nous passer notre vie à chercher un sein, quand le monde entier est là, qui se donne à connaître et à aimer ?

Enfin, et surtout, je n'ai jamais dit qu'il fallait s'accommoder du réel, si vous entendez par là qu'il faudrait renoncer à le transformer ! D'abord, venant ici, les uns et les autres, nous avons déjà changé quelque chose : le monde avec cette réunion ou sans cette réunion, ce

---

1. *Éthique*, III, définition 25 des affections. Voir aussi *Éthique* IV, prop. 52 et scolie.
2. *Éthique*, III, scolie de la prop. 30.

n'est pas la même chose. Je crois avoir insisté sur le fait que ce qui fait agir, ce n'est pas l'espérance, c'est la volonté. Vous savez, j'ai fait beaucoup de politique... Pendant ces années où je collais des affiches, où je faisais du porte-à-porte, etc., j'étais frappé par le fait qu'il y avait des gens qui me disaient, à chaque campagne électorale : « Cette fois, j'espère qu'on va gagner ! » Mais ils ne faisaient rien. C'était moi qui collais les affiches, qui distribuais les tracts, qui vendais les journaux... Les militants ont un mot charmant pour désigner ces gens-là, ces gens qui ont la même *espérance* qu'eux mais qui n'agissent pas, parce qu'ils n'ont pas la même *volonté* qu'eux. Ils les appellent des *sympathisants*. Qu'est-ce que c'est qu'un sympathisant ? C'est quelqu'un qui espère la victoire, comme vous, cela ne mange pas de pain, mais qui renonce à faire ce qui dépend de lui pour s'en approcher. Alors qu'un militant, c'est celui qui agit. Ce n'est pas l'espérance qui les différencie (ils espèrent tous la victoire, la justice, la paix, la liberté), mais la volonté, mais l'action. Les gens qui font changer les choses, ce ne sont pas ceux qui espèrent mais ceux qui se battent. Je ne doute pas, mademoiselle, que vous espériez la justice ; moi aussi. Mais la vraie question, c'est « Qu'est-ce qu'on fait ? » Il ne s'agit pas de ne rien changer, comme vous sembliez le craindre, mais au contraire d'accepter tout ce qui ne dépend pas de nous, il le faut bien, pour changer tout ce qui en dépend. Comment transformer le réel sans accepter d'abord de le voir tel qu'il est, de le connaître, de le comprendre ? Vous connaissez la formule de Spinoza, dans le *Traité politique* : « Ne pas railler, ne pas pleurer, ne pas détester, mais comprendre[1]. » Le monde est à prendre ou à laisser, et nul ne peut le transformer qu'à la condition, d'abord, de le prendre.

---

1. *Traité politique*, I, 4.

*E – Mais vous vous situez toujours dans « il faut pen-
ser les choses telles qu'elles sont » ! Ce n'est pas quelque
chose qu'on pourrait créer...*

Ma conférence portait sur le bonheur, pas sur l'état
de la société ! La sagesse n'est pas un programme politique : il n'y a jamais eu de société de sages, il n'y en
aura jamais... Toute société fonctionne à l'espérance, à
l'illusion, à l'idéologie (au sens marxiste du terme)...
C'est pourquoi la philosophie ne tient pas lieu de politique, ni la politique de philosophie. Pour le reste, *créer*,
comme vous dites, ce n'est jamais créer à partir de
rien : c'est toujours transformer ce qui est, et cela n'est
possible qu'à la condition d'abord de comprendre la
nécessité de ce qui est. Comment se soigner, si l'on ne
comprend pas qu'on est malade ? Comment combattre
l'injustice ou le racisme, si l'on ne reconnaît pas qu'ils
existent[1] ?

*F – Pourquoi n'avez-vous pas parlé de l'amour de
soi ? Dès l'instant où l'on fait cette démarche de s'aimer,
on peut déjà davantage appréhender le devenir et le passé
tout en acceptant ce qui se passe actuellement...*

Je n'ai pas exclu cette démarche : j'ai au contraire
évoqué *la joie qu'accompagne l'idée de sa cause*, comme
je viens de l'expliquer, pour ne pas nous enfermer dans
l'amour exclusif d'une cause *extérieure*. Je crois très
important, en effet, qu'on puisse s'aimer soi-même.
Mais, d'une part, tel n'était pas le propos de cette conférence ; et, d'autre part, on ne risque guère d'oublier de
s'aimer ! La vérité c'est qu'on s'aime mal (c'est ce qu'on
appelle le narcissisme). Qu'il faille apprendre à s'aimer

---

1. Je m'en suis expliqué longuement dans le livre écrit avec Luc
Ferry, *La Sagesse des Modernes*, Robert Laffont, 1998 (voir par
exemple pp. 249-252 et 559-561).

autrement, j'en suis convaincu. Ce que Spinoza appelle le *contentement de soi*, c'est bien autre chose que le narcissisme ! Mais dans notre très faible capacité d'amour, s'il y a un objet que nous n'oublierons pas d'aimer, c'est d'abord nous-mêmes : il m'a paru qu'il y avait plus important à rappeler que la nécessité de s'aimer soi...

Quant au fond, je suis parfaitement d'accord pour dire que le sage est l'ami de soi-même, comme disait Aristote – et Épicure en sera d'accord. Il s'agit d'être l'ami de ses amis et de soi-même. Cet amour-là fait partie de la sagesse. Simplement, ne nous trompons pas d'amour. Il y a une phrase, chez Pascal, qui est souvent mal comprise : « *Le moi est haïssable*[1]. » Comme les *Évangiles* disent qu'il faut aimer son prochain *comme soi-même*, si le moi est haïssable, il faudrait haïr son prochain, ce qui semble peu évangélique... Mais le moi n'est haïssable, chez Pascal, qu'en tant qu'il ne sait aimer que soi : il est haïssable parce qu'il est égoïste. En revanche, qu'il faille s'aimer soi, Pascal en est parfaitement d'accord[2]. Mais il faudrait s'aimer d'un amour de charité, c'est-à-dire s'aimer soi comme on aime n'importe qui. « *Aimer un étranger comme soi-même*, écrit Simone Weil, *implique comme contrepartie : s'aimer soi-même comme un étranger*[3]. » Le narcissisme est à la portée de n'importe qui – on ne risque pas d'oublier de s'aimer –, mais la difficulté est de s'aimer soi-même *comme un étranger,* c'est-à-dire de s'aimer soi-même comme n'importe qui. Remarquez que n'importe qui, c'est exactement ce que nous sommes... C'est tout le paradoxe : la charité est très au-delà de notre capacité, elle n'est qu'un idéal, et pourtant elle décrit exactement la réalité. Il s'agit de s'aimer non pas *comme personne* (narcissisme) mais *comme n'importe*

---

1. *Pensées*, 597-455.
2. Voir par exemple les fragments 368-474 et 372-483. Voir aussi mon article « L'amour selon Pascal », dans la *Revue internationale de philosophie,* n° 1, 1997, pp. 131 à 160.
3. *La Pesanteur et la Grâce*, « Amour », Édition 10-18, p. 68.

qui, ce que nous sommes en effet (charité). Encore une fois, je n'y crois pas trop : cette charité, pour moi, est plus un idéal qu'une expérience. Mais cet idéal nous éclaire ou indique une direction : celle d'un amour universel, d'un amour sans rivage, d'un amour libéré de l'ego...

G – On entend un paradoxe entre « le bonheur » et puis « désespérément ». Je pense que le bonheur peut arriver de deux façons. Si on regarde ce que dit Boris Cyrulnik dans son ouvrage Un merveilleux malheur, *on arrive au vrai désespoir. Qu'est-ce qui reste à faire pour des gens qui n'ont plus rien ? L'expérience de Bruno Bettelheim dans* Le Cœur conscient, *lorsqu'il est devant l'horreur, que reste-t-il à faire ? Il faut vivre, créer, donner du sens, il faut une volonté. Il faut regarder son passé comme quelque chose qu'on a, son avenir comme quelque chose de possible et son présent comme quelque chose à vivre, à supporter. De plus, il y a des gens qui, parce qu'ils ont été aimés, sont pleins, disponibles pour accueillir tout, et cela leur donne une joie de vivre qui n'est pas dans le désespoir mais dans l'accueil de quelque chose qui est là, qu'ils vivent pleinement. D'autres personnes peuvent osciller entre les deux – peut-être pas comme Schopenhauer l'a dit – mais entre ce bonheur désespéré vraiment et puis ces bonheurs nourris d'une espérance qui vient de l'amour de soi-même, de ce qui nous a été attribué à la naissance.*

Je suis assez d'accord avec l'idée qu'il y a des gens qui peuvent faire l'économie du désespoir. Il y a peut-être des gens qui sont tellement doués pour la vie que la béatitude, pour eux, est une expérience familière. Peut-être. Disons que je n'en fais pas partie. Si j'ai eu besoin de tant philosopher, c'est parce que j'étais peu doué pour la vie. Cela dit, même pour ceux qui ont été tellement aimés, comme vous dites, qu'ils ont avec la joie ce rapport quotidien, naturel, spontané, ceux qui se réveillent joyeux tous les matins – je sais qu'ils existent et il m'arrive de les envier –, la question se pose toutefois de savoir s'ils croient en Dieu ou pas. S'ils n'y croient pas, aussi joyeux qu'ils soient, ils ne peuvent échapper à Pascal : si Dieu n'existe pas, il y a quelque chose de désespérant dans la condition humaine, puisqu'on va mourir, puisque tous ceux que nous aimons vont mourir. Alors, de deux choses l'une : ou bien ils sont joyeux malgré tout, et alors cela me donne raison, puisque cela confirme que le bonheur peut résister au désespoir ; ou bien leur bonheur s'écroule, et cela prouve que leur bonheur était fondé sur une espérance, et qu'en ce sens, à mes yeux, c'était plutôt un faux bonheur. Il est d'ailleurs vraisemblable que les deux peuvent exister, avec de multiples degrés ou fluctuations entre les deux.

Donc, il y a cette dimension, d'abord biographique (je n'étais pas doué pour la vie), ensuite philosophique (je suis athée : je ne crois pas en Dieu, je ne crois pas en une vie après la mort). Quand Pascal écrit qu'un athée lucide ne peut pas échapper au désespoir, je trouve que c'est vrai. Alors, que faire ? Ou bien on renonce au bonheur, ou bien, dans ce désespoir qui est le nôtre, on cherche ce qu'on peut vivre comme bonheur. Et on rencontre Épicure, Montaigne, Spinoza, le Bouddha... Ce que vous disiez sur Cyrulnik et Bettelheim est sans doute vrai. Pour ma part, je citais cette formule de Mélanie Klein : « *Au fond du désespoir, l'amour se fait jour.* » Ce que j'appelle le désespoir, philosophiquement, est très proche de ce que Freud, à sa façon et d'un autre point de vue, appelle le travail du deuil. Ce n'est pas du tout un travail de la tristesse ! Le but du deuil, c'est la joie. Vous venez de perdre un être cher, vous avez le sentiment que tout s'écroule, que plus jamais vous ne serez joyeux. Et voilà qu'au bout de trois mois, six mois, un an, vous découvrez que la joie est redevenue possible ! Le travail du deuil, c'est ce processus psychique, ce travail sur soi qui fait que la joie redevient au moins possible. Désespérer, au sens où je prends le mot, c'est faire son deuil de ses espérances, faire son deuil de tout ce qui n'est pas pour se réjouir de ce qui est (ce qui ne veut pas dire, encore une fois, qu'on ne le transforme pas : l'action fait partie du réel, la volonté fait partie du réel). À condition, toutefois, de ne pas faire de cette sagesse-là une espérance de plus, de ne pas se dire « Qu'est-ce que je serais heureux si j'étais un sage », ce qui revient à la boutade de Woody Allen, « *Qu'est-ce que je serais heureux si j'étais heureux !* »

Il y a une formule de Spinoza qui m'a laissé perplexe pendant des années. Dans l'*Éthique* on peut lire que la béatitude est éternelle et donc ne peut être dite commencer que « *fictivement* [1] ». La béatitude ne commence pas, puisqu'elle est éternelle. Mais alors, me disais-je, pour moi qui ne l'ai pas, c'est raté définitivement... C'est une autre phrase, historiquement et géographiquement très éloignée de Spinoza, qui m'a aidé à sortir de cette difficulté – une phrase de Nâgârjuna, grand penseur et mystique bouddhiste. Vous savez que l'équivalent de la béatitude chez Spinoza, c'est ce que les bouddhistes appellent le *nirvâna*, le salut, l'éveil. Et le contraire du nirvâna, c'est-à-dire notre vie telle qu'elle est, ratée, gâchée, manquée (comme dit Alain à propos de George Sand, qu'il admire), bref la vie quotidienne dans sa dureté, dans sa finitude, dans ses échecs, c'est ce qu'ils appellent le *samsâra*, le cycle de la naissance, de la souffrance et de la mort. Or, Nâgârjuna écrit : « *Tant que tu fais une différence entre le nirvâna et le samsâra, tu es dans le samsâra.* » Tant que vous faites une différence entre le salut et votre vie réelle, entre la sagesse et votre vie telle qu'elle est, ratée, gâchée, manquée, vous êtes dans votre vie telle qu'elle est. La sagesse n'est pas une autre vie, où soudain tout irait bien dans votre couple, dans votre travail, dans la société, mais une autre façon de vivre cette vie-ci, telle

---

1. *Éthique*, V, prop. 33, démonstration et scolie. Voir aussi, *ibid.*, le scolie de la prop. 36.

qu'elle est. Il ne s'agit pas d'espérer la sagesse comme une autre vie ; il s'agit d'apprendre à aimer cette vie comme elle est – y compris, j'y insiste, en se donnant les moyens, pour la part qui dépend de nous, de la transformer. Le réel est à prendre ou à laisser, disais-je. La sagesse, c'est de le prendre : le sage est *partie prenante et agissante* de l'univers.

Cela me fait penser (quoique dans l'instant je ne perçoive pas le rapport, mais peut-être que cela viendra en l'exposant...) à une histoire orientale, qui me fascine depuis longtemps. C'est l'histoire d'un moine, taoïste ou bouddhiste, je ne sais plus et cela n'a pas d'importance, qui chemine dans la montagne... Ce n'est pas un sage, pas un éveillé, pas un *libéré vivant*, comme on dit là-bas, mais un moine tout à fait ordinaire. Il est perturbé, soucieux. Pourquoi ? Parce qu'il a appris que son maître, le vénérable Untel, qui, lui, était un sage, un éveillé, un libéré vivant, qui avait connu l'illumination, etc., que son maître, donc, était mort. Ce n'est pas cela qui le perturbe ; sans être un sage, notre moine sait bien qu'il faut mourir un jour. Un témoin, qui a assisté à la scène, lui a rapporté que le maître avait été attaqué par des brigands, qui l'avaient tué à coups de bâtons. Ce n'est pas cela non plus qui perturbe notre moine : dès lors qu'il faut mourir, peu importe la cause... Non, ce qui le perturbe, c'est que le même témoin, qui était là, qui a tout vu, tout entendu, lui a confié que, sous les coups de bâtons, le sage, le vénérable, avait crié atrocement. Et cela, notre moine ne peut le comprendre. Comment quelqu'un qui a connu l'illumination, un éveillé, un libéré vivant, peut-il crier atrocement pour quelques coups de bâtons impermanents et vides ? Cela perturbe tellement notre moine qu'il ne fait pas attention, en cheminant, à ce qui se passe derrière lui... Arrive une bande de brigands, qui l'attaquent à coups de bâtons. Sous les coups de bâtons, notre moine cria atrocement. En criant, il connut l'illumination.

Je suis toujours embarrassé devant cette histoire. Je la trouve si belle et si forte que je voudrais m'arrêter là et éviter tout commentaire... Mais essayons, malgré tout, de voir s'il y a un rapport entre la citation de Nâgârjuna et cette histoire. Peut-être que le rapport, s'il y en a un, est le suivant : si notre moine espérait que la sagesse était une protection, un grigri ou une panacée, par exemple un antalgique souverain contre les coups de bâtons, il se racontait évidemment des histoires. La sagesse ne peut rien contre les coups de bâtons. En revanche, quand il en reçoit lui-même, si ce qu'il comprend, sous les coups de bâtons, c'est que, lorsqu'il a très mal, ce qu'un sage peut faire de mieux c'est de crier, et que le mieux, quand on a atrocement mal, est de crier atrocement, s'il comprend qu'il s'agit de faire un avec ce qu'on est, comme dit Prajnânpad, avec ce qu'on fait, de se battre quand il le faut, de crier quand on a mal, etc., alors je saisis pourquoi cela me faisait penser à l'identité, chez Nâgârjuna, du nirvâna et du samsâra. La sagesse n'est pas un idéal de plus, encore moins une religion. La sagesse, c'est cette vie-ci, telle qu'elle est, mais vécue en vérité. Bien sûr, il n'y a pas de vérité absolue, ou nous n'y avons pas accès : on n'est jamais totalement dans le vrai, comme on est rarement totalement dans l'erreur. La sagesse, disais-je en commençant, c'est le maximum de bonheur dans le maximum de lucidité. C'est moins un absolu qu'un processus. On se rapproche de la sagesse à chaque fois qu'on est un peu plus lucide en étant un peu plus heureux, à chaque fois qu'on est un peu plus heureux en étant un peu plus lucide. Ne faisons pas de la sagesse une espérance, un idéal qui nous séparerait du réel. Comprenons que la philosophie – c'est-à-dire la vie, puisque la philosophie n'est que la vie essayant de se penser, le mieux qu'elle peut – est un processus, un *effort*, comme dirait Spinoza, et que, lorsqu'on a atrocement mal, il est tout à fait sage de crier atrocement, comme il est sage, quand on jouit, de jouir gaiement, joyeusement. Tant que vous faites une différence entre la sagesse et votre vie telle qu'elle est, vous êtes séparés de la sagesse par l'espérance que vous en avez. Cessez d'y croire : c'est une façon de vous en approcher.

H – Vous-même, personnellement, êtes-vous heureux ?

Je vous dirais volontiers que cela ne vous regarde pas ! Mais je veux bien vous répondre : cela dépend des moments, comme pour tout le monde. En ce moment, cela ne va pas trop mal, merci : la joie me paraît immédiatement possible. Disons que je suis à peu près heureux, c'est-à-dire heureux. Je remarquais tout à l'heure que je ne suis guère doué pour la vie... C'est vrai. Mais j'ai beaucoup travaillé, beaucoup philosophé, et puis j'ai eu pas mal de chance. Je suis toujours vivant et content de l'être : sauf malheur ou angoisse particulière (c'est par quoi je ne suis pas un sage et n'en serai jamais un), j'aime la vie, comme dit Montaigne, autrement dit je me réjouis de vivre et de me battre. Si ce n'est pas un bonheur, qu'est-ce que le bonheur ?

I – Votre maître Marcel Conche écrit, dans Le Sens de la philosophie, *que « la philosophie n'a pas en vue le bonheur », qu'elle n'a en vue que « la seule vérité [1] ». Cela ne s'oppose-t-il pas à votre définition de la philosophie ?*

Vous avez raison : c'est l'une des divergences entre Marcel Conche et moi... Bizarrement, sur ce point, je suis plus grec que lui – ce qui ne prouve bien sûr pas que j'ai raison, ni tort, mais qui doit nous pousser à prendre le problème au sérieux : pour que Marcel s'écarte des Grecs, il faut qu'il ait quelque raison très forte ! En l'occurrence, je pense qu'une raison possible

---

1. M. Conche, *Le Sens de la philosophie*, Encre marine, 1999, p. 18.

est la suivante : si tout homme désire le bonheur, en quoi cette poursuite peut-elle caractériser la philosophie ? Je pense que c'est une objection forte. Faut-il dire alors, avec mon maître et ami, que le philosophe ne cherche *que* la vérité ? Cela ne pourrait pas davantage servir à définir la philosophie : beaucoup cherchent la vérité (à commencer par les scientifiques) qui ne sont pas philosophes pour autant. Ce que je répondrais à Marcel Conche, ou plutôt ce que je lui ai répondu (nous en avons discuté), c'est que la quête du bonheur et celle de la vérité caractérisent, *ensemble*, la philosophie. Ce n'est pas l'une ou l'autre, c'est les deux ! Tout homme cherche le bonheur, et beaucoup cherchent la vérité. Les philosophes sont ceux qui cherchent les deux, et spécialement ceux qui cherchent *le bonheur* (comme but) *dans la vérité* (comme norme). De ce point de vue, l'opposition entre Marcel et moi est peut-être moins considérable que vous ne le pensez ; car je lui accorderais bien volontiers que toute la dignité du philosophe consiste à soumettre toujours le but à la norme, et jamais la norme au but. Pour lui comme pour moi, la vérité prime. Mais la divergence n'en subsiste pas moins. La vraie question philosophique, à mon sens, n'est pas « Qu'est-ce qui est vrai ? », ni même « Qu'est-ce que la vérité ? » mais plutôt « Où en sommes-nous avec la vérité ? Que pouvons-nous faire du vrai disponible ? Comment nous comporter vis-à-vis de ce que nous connaissons ou ignorons ? Comment vivre en vérité ? » En ce sens, tout homme n'est pas philosophe, mais tout homme devrait l'être.

J – Je suis chrétien, vous êtes athée... Pourtant je me sens proche de ce que vous avez dit. Est-ce moi qui n'ai pas compris, ou votre athéisme qui n'en est pas un ?

Ni l'un ni l'autre. Je suis bien athée : je ne crois en aucun Dieu, en aucun sens ultime ou absolu, en aucune valeur transcendante, en aucune vie après la mort... Mais pourquoi cela nous empêcherait-il de nous retrouver sur une certaine idée de la sagesse ou du bonheur ?

J – Vous croyez en l'amour ; je crois que Dieu est amour. Ne croyons-nous pas en la même chose ?

Je crois en l'amour ? Oui, sans doute, mais ni comme un absolu (tout amour est relatif à un certain corps, à une certaine histoire...), ni, encore moins, comme un Dieu. L'amour ne ferait un Dieu plausible que s'il était tout-puissant, et je n'en crois rien : ce que je connais, c'est bien plutôt la faiblesse de l'amour, sa finitude, sa fragilité. Si l'amour est plus fort que la mort, comme dit le *Cantique des cantiques*, alors l'amour est Dieu et vous avez raison. Si c'est la mort qui est la plus forte (non parce qu'on ne pourrait aimer les morts, le deuil prouve le contraire, mais parce que rien ne nous autorise à penser que les morts peuvent aimer), si c'est la mort qui est la plus forte, alors l'amour n'est pas Dieu et c'est moi qui ai raison : il n'y a d'amour qu'humain et mortel.

Mais cette divergence métaphysique ou spirituelle n'empêche nullement que nous puissions nous rencontrer dans une certaine idée de la sagesse ou du bonheur. J'évoquais ces textes de saint Augustin et saint Thomas, sur le Royaume... Tout part d'un texte de saint Paul, le fameux « Hymne à la charité », dans la première *Épître aux Corinthiens*. Saint Paul évoque ce qu'on appellera plus tard les trois vertus théologales – la foi, l'espérance, la charité –, puis il ajoute : « La plus grande des trois, c'est la charité. Tout le reste passera, la charité seule ne passera pas [1]. » Saint Augustin, lisant ce texte, se demande : est-ce que ça veut dire que la foi passera ? que l'espérance passera ? Et il répond que oui : au paradis,

---

1. *Première épître aux Corinthiens*, chap. 13 (que je résume plus que je ne le cite).

dans le Royaume, il n'y aura plus ni foi ni espérance. Plus besoin de croire en Dieu, puisqu'on sera en Dieu ! Plus besoin d'espérer, puisqu'il n'y aura plus rien à espérer ! Bref, dans le Royaume, il n'y aura plus que l'amour [1] !

De mon point de vue d'athée, je dirai que, le Royaume, nous y sommes : c'est ce monde-ci, cette vie-ci, où rien n'est à croire, comme je le disais tout à l'heure, puisque tout est à connaître, où rien n'est à espérer, puisque tout est à faire ou à aimer. Si vous m'accordez cela, que nous sommes déjà dans le Royaume, nous pouvons en effet être très proches. Ce qui nous sépare, c'est l'espérance que vous avez que ce Royaume continuera, pour vous, après la mort. Voilà : nous sommes séparés par ce que nous pensons de la mort, autrement dit par ce que nous ignorons. Cela ne nous empêche pas de nous rencontrer dans ce que nous connaissons, qui est une certaine expérience de la vie, de l'amour et de l'action.

Le plus étonnant, dans cette histoire des trois vertus théologales, c'est que saint Thomas, reprenant le dossier, huit siècles plus tard, dit bien sûr la même chose que saint Augustin : que, dans le Royaume, il n'y aura plus ni foi ni espérance, qu'il n'y aura plus que l'amour. Mais il ajoute ceci, que je n'ai jamais vu chez saint Augustin et qui m'a, quand je l'ai découvert, fortement secoué : le Christ n'a jamais eu « *ni la foi ni l'espérance* », et cependant il était « *d'une charité parfaite* [2] » ! J'entends bien que, si le Christ n'a jamais eu ni la foi ni l'espérance, selon saint Thomas, c'est qu'il était Dieu : Dieu n'a pas à croire en Dieu ni à espérer quoi que ce soit (puisqu'il est à la fois tout-puissant et omniscient). Il n'en reste pas moins que, pour l'athée que je suis, ces phrases donnent un sens singulier, et singulièrement fort, à ce qu'un livre fameux appelle, c'est son

1. Saint Augustin, *Soliloques*, I, 7, et Sermons, 158, 9.
2. *Somme théologique*, Ia IIae, quest. 65, article 5 (Édition du Cerf, 1993, tome II, pp. 395-396).

titre, « l'imitation de notre seigneur Jésus-Christ ». Car ce qu'il s'agit d'imiter, en Jésus-Christ, ce ne peut pas être la foi ou l'espérance, puisqu'il ne les avait pas ; ce ne peut être que l'amour.

Je suis aussi athée qu'on peut l'être, mais j'essaie d'être un athée fidèle. La tradition judéo-chrétienne m'éclaire, tout autant que la tradition grecque, et il m'arrive d'y trouver aussi des leçons de sagesse et de désespoir. Si nous sommes déjà dans le Royaume, à quoi bon en espérer un autre ?

Spinoza, qui n'était pas plus chrétien que moi, se dit lui-même fidèle à « l'esprit du Christ[1] ». Qu'est-ce que cela veut dire ? Que, pour lui, Jésus n'était pas Dieu, ni fils de Dieu, ni ne bénéficia d'aucune révélation surnaturelle : ce n'était qu'un homme comme un autre, simplement plus sage que la plupart... C'est aussi mon point de vue. Disons que c'est ma façon de rester fidèle à l'esprit de Spinoza...

Il n'est sagesse que de joie, disais-je, il n'est joie que d'aimer. Qu'un lecteur des Évangiles puisse se sentir proche de cette pensée-là, cela ne m'étonne pas ! Cela ne veut pas dire que vous ne m'avez pas compris, ni que je ne suis pas athée. Cela veut simplement dire que la sagesse n'appartient à personne, à aucune Église, et c'est tant mieux. Le bonheur n'est ni un dogme ni une récompense. « La béatitude, disait Spinoza, n'est pas le prix de la vertu mais la vertu elle-même[2]. » C'est la dernière proposition de l'*Éthique*. Permettez que ce soit aussi la conclusion de notre soirée...

---

1. Voir par exemple la *Lettre* 43, à J. Osten, et *Éthique* IV, scolie de la prop. 68. Sur le rapport de Spinoza au Christ et au christianisme (ce sont deux problèmes différents), voir le livre magistral d'Alexandre Matheron, *Le Christ et le salut des ignorants chez Spinoza*, Aubier-Montaigne, 1971.
2. *Éthique*, V, prop. 42.

CATALOGUE LIBRIO (extraits)
LITTÉRATURE

Hans-Christian Andersen
La petite sirène et autres contes - n° 682

Anonyme
Tristan et Iseut - n° 357
Roman de Renart - n° 576
Amour, désir, jalousie - n° 617
Pouvoir, ambition, succès - n° 657
Les Mille et Une Nuits :
Sindbad le marin - n° 147
Aladdin ou la lampe merveilleuse - n° 191
Ali Baba et les quarante voleurs *suivi de* Histoire du cheval enchanté - n° 298

Fernando Arrabal
Lettre à Fidel Castro - n° 656

Boyer d'Argens
Thérèse philosophe - n° 422

Isaac Asimov
La pierre parlante *et autres nouvelles* - n° 129

Richard Bach
Jonathan Livingston le goéland - n° 2
Le messie récalcitrant (Illusions) - n° 315

Honoré de Balzac
Le colonel Chabert - n° 28
Ferragus, chef des Dévorants - n° 226
La vendetta *suivi de* La bourse - n° 302

Jules Barbey d'Aurevilly
Le bonheur dans le crime *suivi de* La vengeance d'une femme - n° 196

René Barjavel
Béni soit l'atome *et autres nouvelles* - n° 261

James M. Barrie
Peter Pan - n° 591

Frank L. Baum
Le magicien d'Oz - n° 592

Nina Berberova
L'accompagnatrice - n° 198

Bernardin de Saint-Pierre
Paul et Virginie - n° 65

Patrick Besson
Lettre à un ami perdu - n° 218
28, boulevard Aristide-Briand *suivi de* Vacances en Botnie - n° 605

Pierre Bordage
Les derniers hommes :
1. Le peuple de l'eau - n° 332
2. Le cinquième ange - n° 333
3. Les légions de l'Apocalypse - n° 334
4. Les chemins du secret - n° 335
5. Les douze tribus - n° 336
6. Le dernier jugement - n° 337
Nuits-lumière - n° 564

Ray Bradbury
Celui qui attend *et autres nouvelles* - n° 59

Lewis Carroll
Les aventures d'Alice au pays des merveilles - n° 389
Alice à travers le miroir - n° 507

Jacques Cazotte
Le diable amoureux - n° 20

Adelbert de Chamisso
L'étrange histoire de Peter Schlemihl - n° 615

Andrée Chedid
Le sixième jour - n° 47
L'enfant multiple - n° 107
L'autre - n° 203
L'artiste *et autres nouvelles* - n° 281
La maison sans racines - n° 350

Arthur C. Clarke
Les neuf milliards de noms de Dieu *et autres nouvelles* - n° 145

John Cleland
Fanny Hill, la fille de joie - n° 423

Colette
Le blé en herbe - n° 7

Joseph Conrad
Typhon - n° 718

Benjamin Constant
Adolphe - n° 489

Savinien de Cyrano de Bergerac
Lettres d'amour et d'humeur - n° 630

Maurice G. Dantec
Dieu porte-t-il des lunettes noires ? *et autres nouvelles* - n° 613

Alphonse Daudet
Lettres de mon moulin - n° 12
Tartarin de Tarascon - n° 164

Philippe Delerm
L'envol *suivi de* Panier de fruits - n° 280

Virginie Despentes
Mordre au travers - n° 308
(pour lecteurs avertis)

Philip K. Dick
Les braconniers du cosmos *et autres nouvelles* - n° 92

Denis Diderot
Le neveu de Rameau - n° 61
La religieuse - n° 311

Fiodor Dostoïevski
L'éternel mari - n° 112
Le joueur - n° 155

Alexandre Dumas
La femme au collier de velours - n° 58

Francis Scott Fitzgerald
Le pirate de haute mer
et autres nouvelles - n° 636

Gustave Flaubert
Trois contes - n° 45
Passion et vertu
et autres textes de jeunesse - n° 556

Cyrille Fleischman
Retour au métro Saint-Paul - n° 482

Théophile Gautier
Le roman de la momie - n° 81
La morte amoureuse *suivi de*
Une nuit de Cléopâtre - n° 263

J.W. von Goethe
Faust - n° 82

Nicolas Gogol
Le journal d'un fou *suivi de* Le portrait
et de La perspective Nevsky - n° 120
Le manteau *suivi de* Le nez - n° 691

Jacob Grimm
Blanche-Neige *et autres contes* -
n° 248

Pavel Hak
Sniper - n° 648

Éric Holder
On dirait une actrice
et autres nouvelles - n° 183

Homère
L'Odyssée *(extraits)* - n° 300
L'Iliade *(extraits)* - n° 587

Michel Houellebecq
Rester vivant *et autres textes* - n° 274
Lanzarote *et autres textes* - n° 519
(pour lecteurs avertis)

Victor Hugo
Le dernier jour d'un condamné - n° 70
La légende des siècles
(extraits) - n° 341

Henry James
Le tour d'écrou - n° 200

Franz Kafka
La métamorphose *suivi de* Dans la colonie pénitentiaire - n° 3

Stephen King
Le singe *suivi de* Le chenal - n° 4
La ballade de la balle élastique *suivi de*
L'homme qui refusait de serrer la main -
n° 46
Danse macabre :
Celui qui garde le ver
et autres nouvelles - n° 193
Cours, Jimmy, cours
et autres nouvelles - n° 214
L'homme qu'il vous faut
et autres nouvelles - n° 233
Les enfants du maïs
et autres nouvelles - n° 249

Rudyard Kipling
Les frères de Mowgli
et autres nouvelles de la jungle - n° 717

Madame de La Fayette
La princesse de Clèves - n° 57

Jean de La Fontaine
Contes libertins - n° 622

Jack London
Croc-Blanc - n° 347

Howard P. Lovecraft
Les autres dieux
et autres nouvelles - n° 68

Richard Matheson
La maison enragée *et autres
nouvelles fantastiques* - n° 355

Guy de Maupassant
Le Horla - n° 1
Boule de Suif
et autres nouvelles - n° 27
Une partie de campagne
et autres nouvelles - n° 29
Une vie - n° 109
Pierre et Jean - n° 151
Contes noirs - *La petite Roque*
et autres nouvelles - n° 217
Le Dr Héraclius Gloss
et autres histoires de fous - n° 282
Miss Harriet *et autres nouvelles* - n° 318

Prosper Mérimée
Carmen *suivi de* Les âmes du purgatoire -
n° 13
Mateo Falcone *et autres nouvelles* -
n° 98
Colomba - n° 167
La Vénus d'Ille *et autres nouvelles* -
n° 236

Alberto Moravia
Le mépris - n° 87
Histoires d'amour - n° 471 (...)

Françoise Morvan
Lutins et lutines - n° 528

Gérard de Nerval
Aurélia *suivi de* Pandora - n° 23
Sylvie *suivi de* Les chimères *et de*
Odelettes - n° 436

Charles Perrault
Contes de ma mère l'Oye - n° 32

Edgar Allan Poe
Double assassinat dans la rue Morgue
suivi de Le mystère de Marie Roget -
n° 26
Le scarabée d'or *suivi de*
La lettre volée - n° 93
Le chat noir *et autres nouvelles* - n° 213
La chute de la maison Usher
et autres nouvelles - n° 293
Ligeia *suivi de* Aventure sans pareille
d'un certain Hans Pfaall - n° 490

Alexandre Pouchkine
La fille du capitaine - n° 24
La dame de pique *suivi de*
Doubrovsky - n° 74

Terry Pratchett
Le peuple du Tapis - n° 268

Abbé Antoine-François Prévost
Manon Lescaut - n° 94

Marcel Proust
Sur la lecture - n° 375
La confession d'une jeune fille -
n° 542

Raymond Radiguet
Le diable au corps - n° 8

Vincent Ravalec
Les clés du bonheur, Du pain pour les
pauvres *et autres nouvelles* - n° 111
Joséphine et les gitans
et autres nouvelles - n° 242
Pour une nouvelle sorcellerie
artistique - n° 502
Ma fille a 14 ans - n° 681

Jules Renard
Poil de Carotte - n° 25

Marquis de Sade
Les infortunes de la vertu - n° 172

George Sand
La mare au diable - n° 78

Ann Scott
Poussières d'anges - n° 524

Comtesse de Ségur
Les malheurs de Sophie - n° 410

Robert Louis Stevenson
L'étrange cas du Dr Jekyll et de Mr Hyde -
n° 113

Jonathan Swift
Le voyage à Lilliput - n° 378

Anton Tchekhov
La cigale *et autres nouvelles* - n° 520
Histoire de rire *et autres nouvelles* -
n° 698

Léon Tolstoï
La mort d'Ivan Ilitch - n° 287
Enfance - n° 628

Ivan Tourgueniev
Premier amour - n° 17
Les eaux printanières - n° 371

Henri Troyat
La neige en deuil - n° 6
Viou - n° 284

François Truffaut
L'homme qui aimait les femmes - n° 655

Zoé Valdés
Un trafiquant d'ivoire, quelques
pastèques *et autres nouvelles* -
n° 548

Fred Vargas
Petit traité de toutes vérités
sur l'existence - n° 586

Jules Verne
Les Indes noires - n° 227
Les forceurs de blocus - n°66
Le château des Carpathes - n° 171
Une ville flottante - n° 346

Villiers de l'Isle-Adam
Contes au fer rouge - n° 597

Voltaire
Candide - n° 31
Zadig ou la Destinée *suivi de*
Micromégas - n° 77
L'Ingénu *suivi de*
L'homme aux quarante écus - n° 180
La princesse de Babylone - n° 356
Jeannot et Colin
et autres contes philosophiques - n° 664

Oscar Wilde
Le fantôme de Canterville *suivi de*
Le prince heureux, Le géant égoïste
et autres nouvelles - n° 600

Émile Zola
La mort d'Olivier Bécaille
et autres nouvelles - n° 42
Naïs Micoulin *suivi de* Pour une nuit
d'amour - n° 127

L'attaque du moulin *suivi de* Jacques Damour - n° 182

ANTHOLOGIES
Le haschich
De Rabelais à Jarry, 7 écrivains parlent du haschich - n° 582

Inventons la paix
8 écrivains racontent... - n° 338

Toutes les femmes sont fatales
De Sparkle Hayter à Val McDermid, 7 histoires de sexe et de vengeance - n° 632

Présenté par Estelle Doudet
L'amour courtois et la chevalerie
Des troubadours à Chrétien de Troyes - n° 641

Présentée par Estelle Doudet
Les Chevaliers de la Table ronde - n° 709

Présenté par Irène Frain
Je vous aime
Anthologie des plus belles lettres d'amour - n° 374

Présenté par Jean-Jacques Gandini
Les droits de l'homme
Textes et documents - n° 250

Présenté par Gaël Gauvin
Montaigne - n° 523

Présentés par Sébastien Lapaque
Rabelais - n° 483
Malheur aux riches ! - n° 504
J'ai vu passer dans mon rêve
Anthologie de la poésie française - n° 530

Les sept péchés capitaux :
Orgueil - n° 414
Envie - n° 415
Avarice - n° 416
Colère - n° 418
Gourmandise - n° 420

Présenté par Jérôme Leroy
L'école *de Chateaubriand à Proust* - n° 380

Présentés par Roger Martin
La dimension policière - *9 nouvelles de Hérodote à Vautrin* - n° 349
Corse noire - *10 nouvelles de Mérimée à Mondoloni* - n° 444

Présentée par Philippe Oriol
J'accuse ! *de Zola et autres documents* - n° 201

Présentées par Jean d'Ormesson
Une autre histoire de la littérature française :
Le Moyen Âge et le XVIᵉ siècle - n° 387
Le théâtre classique - n° 388

Les écrivains du grand siècle - n° 407
Les Lumières - n° 408
Le romantisme - n° 439
Le roman au XIXᵉ siècle - n° 440
La poésie au XIXᵉ siècle - n° 453
La poésie à l'aube du XXᵉ siècle - n° 454
Le roman au XXᵉ siècle : Gide, Proust, Céline, Giono - n° 459
Écrivains et romanciers du XXᵉ siècle - n° 460

Présenté par Guillaume Pigeard de Gurbert
Si la philosophie m'était contée
De Platon à Gilles Deleuze - n° 403

En coédition avec le Printemps des Poètes
Lettres à la jeunesse
10 poètes parlent de l'espoir - n° 571

Présentés par Barbara Sadoul
La dimension fantastique – 1
13 nouvelles fantastiques de Hoffmann à Seignolle - n° 150
La dimension fantastique – 2
6 nouvelles fantastiques de Balzac à Sturgeon - n° 234
La dimension fantastique – 3
10 nouvelles fantastiques de Flaubert à Jodorowsky - n° 271
Les cent ans de Dracula
8 histoires de vampires de Goethe à Lovecraft - n° 160
Un bouquet de fantômes - n° 362
Gare au garou !
8 histoires de loups-garous - n° 372
Fées, sorcières et diablesses
13 textes de Homère à Andersen - n° 544
La solitude du vampire - n° 611

Présentés par Jacques Sadoul
Une histoire de la science-fiction :
1901-1937 : Les premiers maîtres - n° 345
1938-1957 : L'âge d'or - n° 368
1958-1981 : L'expansion - n° 404
1982-2000 : Le renouveau - n° 437

Présenté par Tiphaine Samoyault
Le chant des sirènes
De Homère à H.G. Wells - n° 666

Présenté par Bernard Vargaftig
La poésie des romantiques - n° 262

MÉMO

Nathalie Baccus
Conjugaison française - n° 470
Grammaire française - n° 534
Orthographe française - n° 596

Axelle Beth, Elsa Marpeau
Figures de style - n° 710

Mathilde Brindel, Frédéric Hatchondo
Jeux de cartes, jeux de dés - n° 705

Anne-Marie Bonnerot
Conjugaison anglaise - n° 558
Grammaire anglaise - n° 601

Jean-Pierre Colignon
Difficultés du français - n° 642

Philippe Dupuis
En coédition avec le journal Le Monde

Mots croisés–1 -
50 grilles et leurs solutions - n° 699

Mots croisés–2 -
50 grilles et leurs solutions - n° 700

Mots croisés–3 -
50 grilles et leurs solutions - n° 706

Mots croisés–4 -
50 grilles et leurs solutions - n° 707

Frédéric Eusèbe
Conjugaison espagnole - n° 644

Daniel Ichbiah
Solfège - *Nouvelle méthode simple et amusante en 13 leçons* - n° 602

Pierre Jaskarzec
Le français est un jeu - n° 672

Maria Dolores Jennepin
Grammaire espagnole - n° 712

Mélanie Lamarre
Dictées pour progresser - n° 653

Micheline Moreau
Latin pour débutants - n° 713

Irène Nouailhac, Carole Narteau
Mouvements littéraires - n° 711

Damien Panerai
Dictionnaire de rimes - n° 671

Jean-Bernard Piat
Vocabulaire anglais courant - n° 643

Mathieu Scavannec
Le calcul - *Précis d'algèbre et d'arithmétique* - n° 595

REPÈRES

Pierre-Valéry Archassal
La généalogie, mode d'emploi - n° 606

Bettane et Desseauve
Guide du vin - *Connaître, déguster et conserver le vin* - n° 620

Sophie Chautard
Guerres et conflits du XXe siècle - n° 651

David Cobbold
Le vin et ses plaisirs - *Petit guide à l'usage des néophytes* - n° 603

Clarisse Fabre
Les élections, mode d'emploi - n° 522

Daniel Ichbiah
Dictionnaire des instruments de musique - n° 620

Jérôme Jacobs
Fêtes et célébrations - *Petite histoire de nos coutumes et traditions* - n° 594

Bernard Klein
Histoire romaine - n° 720

Claire Lalouette
Dieux et pharaons de l'Égypte ancienne -n° 652

Jean-Marc Schiappa
La Révolution française 1789-1799 - n° 696

Jérôme Schmidt
Génération manga - *Petit guide du manga et de la japanimation* - n° 619

Gilles Van Heems
Dieux et héros de la mythologie grecque - n° 593

Gilles Van Heems
Dieux et héros de la mythologie grecque - n° 593

Orlando de Rudder
Bréviaire de la gueule de bois -n° 232

Patrick Weber
Abrégé d'histoire de l'art - *Peinture, sculpture, architecture de l'Antiquité à nos jours* - n° 714
Les rois de France - *Biographie et généalogie des 69 rois de France* - n° 650

Martin Winckler
Séries télé - *De Zorro à Friends, 60 ans de téléfictions américaines* - n° 670

POÉSIE

Charles Baudelaire
Les fleurs du mal - n° 48
Le spleen de Paris - *Petits poèmes en prose* - n° 179
Les paradis artificiels - n° 212

Marie de France
Le lai du Rossignol
et autres lais courtois - n° 508

Michel Houellebecq
La poursuite du bonheur - n° 354

Jean-Claude Izzo
Loin de tous rivages - n° 426
L'aride des jours - n° 434

Jean de La Fontaine
Le lièvre et la tortue *et autres fables* - n° 131
Contes libertins - n° 622

Taslima Nasreen
Femmes
Poèmes d'amour et de combat - n° 514

Arthur Rimbaud
Le Bateau ivre *et autres poèmes* - n° 18
Les Illuminations *suivi de*
Une saison en enfer - n° 385

Saint Jean de la Croix
Dans une nuit obscure -
Poésie mystique complète - n° 448
(édition bilingue français-espagnol)

Yves Simon
Le souffle du monde - n° 481

Paul Verlaine
Poèmes saturniens
suivi de Fêtes galantes - n° 62

ANTHOLOGIES

Présenté par Sébastien Lapaque
J'ai vu passer dans mon rêve
Anthologie de la poésie française - n° 530

En coédition avec le Printemps des Poètes
Lettres à la jeunesse
10 poètes parlent de l'espoir - n° 571

Présenté par Bernard Vargaftig
La poésie des romantiques - n° 262

Présenté par Marie-Anne Jost
Les plus beaux poèmes d'amour -
n° 695

THÉÂTRE

Anonyme
La farce de maître Pathelin *suivi de*
La farce du cuvier - n° 580

Beaumarchais
Le barbier de Séville - n° 139
Le mariage de Figaro - n° 464

Jean Cocteau
Orphée - n° 75

Pierre Corneille
Le Cid - n° 21
L'illusion comique - n° 570

Euripide
Médée - n° 527

Victor Hugo
Lucrèce Borgia - n° 204
Ruy Blas - n° 719

Alfred Jarry
Ubu roi - n° 377

Eugène Labiche
Le voyage de M. Perrichon - n° 270

Marivaux
La dispute *suivi de* L'île des esclaves - n° 477
Le jeu de l'amour et du hasard - n° 604

Molière
Dom Juan ou le festin de pierre - n° 14
Les fourberies de Scapin - n° 181
Le bourgeois gentilhomme - n° 235
L'école des femmes - n° 277
L'avare - n° 339
Tartuffe - n° 476
Le malade imaginaire - n° 536
Les femmes savantes - n° 585
Le médecin malgré lui - n° 598
Le misanthrope - n° 647

Alfred de Musset
Les caprices de Marianne *suivi de*
On ne badine pas avec l'amour - n° 39
À quoi rêvent les jeunes filles - n° 621

Jean Racine
Phèdre - n° 301
Britannicus - n° 390
Andromaque - n° 469

Edmond Rostand
Cyrano de Bergerac - n° 116

William Shakespeare
Roméo et Juliette - n° 9
Hamlet - n° 54
Othello - n° 108
Macbeth - n° 178
Le roi Lear - n° 351
Richard III - n° 478

Sophocle
Antigone - n° 692
Œdipe roi - n° 30

BD

Berthet et Yann
Pin-up :
Remember Pearl Harbor - n° 574
Poison Ivy - n° 581

Binet
Les Bidochon :
Roman d'amour - n° 584
Les Bidochon en vacances - n° 624
Les Bidochon en HLM - n° 674

Philippe Geluck
Le Chat - n° 640
Le retour du Chat - n° 675

Tardi
Adieu Brindavoine *suivi de* La fleur
au fusil - n° 562
Les aventures extraordinaires
d'Adèle Blanc-Sec :
Adèle et la Bête - n° 498
Le démon de la tour Eiffel - n° 499
Le savant fou - n° 538
Momies en folie - n° 539
Le secret de la salamandre - n° 563
Le noyé à deux têtes - n° 573
Tous des monstres ! - n° 646

SANTÉ

**EN COÉDITION AVEC
LA MUTUALITÉ FRANÇAISE**

**Dr Françoise Chadrin, Marie Langre,
Roger Lenglet, Dr Bernard Topuz**
Tabac - *Arnaques, dangers
et désintoxication* - n° 633

Frédéric Ogé, Yves Simon
Sites pollués en France - *Enquête sur un
scandale sanitaire* - n° 662

Maurice Rabache, Marie Langre
Toxiques alimentaires - n° 663

Vanessa Saab
Un psy, pour quoi faire ? - *Guide des
thérapies, de la psychanalyse à la
sophrologie* - n° 676

Elisabeth Tingry
Handicaps. *Préface d'Assia El'Hannouni* -
n° 677

CUISINE

Karine Bonjour
La cuisine des gourmandes - n° 321

Pierre Clauss
La cuisine des herbes et des fleurs - n° 496
Les soupes - n° 497

Laurence et Gilles Laurendon
La cuisine des pirates - n° 551
La cuisine du Far West- n° 552
La cuisine des Indiens - n° 553
La cuisine des explorateurs - n° 554
La cuisine du désert - n° 555

Nadjette Guidoum
Pâtisseries orientales - n° 665

Claude Kiejman
Petits dîners entre amis - n° 683

Estérelle Payany
Devine qui vient dîner ce soir ! -
*40 recettes faciles pour épater
vos invités* - n° 625
La cuisine des fauchés - *Recettes faciles
pour fins de mois difficiles* - n°684

Cuisine de fête chic et pas chère -
*Recettes délicieuses pour soirées
chaleureuses* - n°685

Gilles Perez
La cuisine des maris - n° 319

Delphine Schwartzbrod
La cuisine du lendemain - n° 493

Stéphanie Schwartzbrod
La cuisine bio - n° 494
La cuisine des fêtards - n° 495

Stéphanie et Delphine Schwartzbrod
La cuisine des enfants - n° 323

Franck Spengler
La cuisine des amants - n° 322

Catherine Valabrègue
La cuisine des gens pressés - n° 320

PHILOSOPHIE ET SPIRITUALITÉ

Anonyme
La Genèse - n° 90
Le Coran - n° 590
Vie du Bouddha - n° 614

Yveline Brière
Le livre de la sagesse - n° 327
Le livre de la méditation - n° 411
Le livre de la paix intérieure - n° 505

Henri Brunel
Contes zen - n° 503
La relaxation pour tous - n° 561
Nouveaux contes zen - n° 579
Dieu en poche - *L'aventure d'une vie* -
n° 627
Le moustique - n° 679

Collectif
Vie de Jésus - n° 686

André Comte-Sponville
Le bonheur, désespérément - n° 513

Descartes
Discours de la méthode - n° 299

Arnaud Desjardins
Premiers pas vers la sagesse - n° 661

Épicure
Lettres et maximes - n° 363

Jean Éracle
Enseignements du Bouddha - n° 667

Nicolas Machiavel
Le Prince - n° 163

Catherine Maillard et Éric Bony
Le rêve - *Histoire et significations* -
n° 568

Thomas More
L'Utopie - n° 317

Friedrich Nietzsche
Fragments et aphorismes - n° 616

Ovide
L'art d'aimer - n° 11

Platon
Le banquet - n° 76
Le procès de Socrate - *Euthyphron,
Apologie de Socrate, Criton* - n° 635

Jean-Jacques Rousseau
De l'inégalité parmi les hommes - n° 340

Saint Jean
L'Apocalypse - n° 329

Saint Luc
Évangile - n° 566

Sénèque
De la vie heureuse - n° 678

Vâtsyâyana
Les Kâma Sûtra - n° 152

Jacques de Voragine
La légende dorée - *Vie des
douze apôtres* - n° 363

ANTHOLOGIE
Présentée par
Guillaume Pigeard de Gurbert
Si la philosophie m'était contée
De Platon à Gilles Deleuze - n° 403

513

Photocomposition Assistance – 44 Rezé
Achevé d'imprimer en Allemagne (Pössneck)
en août 2005 pour le compte de E.J.L.
87, quai Panhard-et-Levassor, 75013 Paris
Dépôt légal août 2005.
1er dépôt légal dans la collection : février 2002
Diffusion France et étranger : Flammarion